Introducción a los estudios literarios

Rafael Lapesa Melgar

Introducción
a los estudios literarios

13 EDICION

EDICIONES CÁTEDRA, S. A. Madrid

© Rafael Lapesa
Ediciones Cátedra, S.A., 1981
Don Ramón de la Cruz, 67, Madrid-1
Depósito legal: S. 614-1981
ISBN: 84-376-0017-0
Printed in Spain
Impreso en Gráficas Ortega, S.A.
Polígono El Montalvo. Salamanca, 1981
Papel: Torras Hostench, S.A.

Índice

I

El arte y la literatura

La obra artística.

La palabra *arte* posee significados muy diversos. Designa unas veces el procedimiento habitual, apoyado en un conjunto ordenado de reglas, para hacer alguna cosa (*«arte* de hablar y escribir correctamente», *«arte* de tallar la piedra»). Indica también la habilidad, maestría o primor en la ejecución («trabajo hecho con *arte»*); y se aplica asimismo a ciertas actividades manuales u oficios (*«artes* gráficas», *«arte* de albañilería»).

Pero en la vida cultural se emplea con otro sentido: arte es la actividad espiritual por medio de la cual crea el hombre obras con fin de belleza. Todo ser humano, por rudo e ignorante que sea, experimenta la necesidad de representar en forma bella sus imaginaciones, ideas o sentimientos; esa necesidad se satisface gracias a la creación artística. El niño que traza sobre el papel caprichosas figuras; el pastor que adorna su cayado grabando en él dibujos geométricos; el alfarero que decora cuidadosamente sus vasijas; cualquier hombre cuando intenta, con sus palabras, expresarse de manera más atractiva, todos practican la actividad artística, de modo esencialmente igual a como lo hacen el pintor, el músico o el poeta. Pero mientras las obras torpes o vulgares carecen de interés, las de verdadero valor por su insigne hermosura perpetúan en forma duradera el espíritu de los individuos

9

y pueblos que las han creado, y constituyen un perenne manantial de goce. Si la ciencia se esfuerza por el descubrimiento de la verdad, el arte intenta saciar otro de los grandes anhelos humanos, la realización de la belleza.

Las Bellas Artes

Dentro de la actividad general del arte se distinguen multitud de variedades. Atendiendo al fin perseguido, se llaman *artes puras* las que tienen como objeto primordial la belleza, sin utilidad material en la obra misma (música, poesía, escultura, pintura, danza); y *artes aplicadas o decorativas* las que pretenden satisfacer una necesidad material, sin que en ellas la belleza pase de ser elemento secundario (rejería, tejidos, artes suntuarias).

Las principales manifestaciones del arte son las llamadas *Bellas Artes*, en cuyo número se suelen incluir la arquitectura, la escultura, la pintura, la música, la poesía y, frecuentemente, la danza. La arquitectura emplea masas y proporciones, con fines generalmente utilitarios; la escultura usa iguales medios de expresión, pero con propósito esencialmente figurativo; la pintura se vale de proporciones, líneas y colores. Estas tres artes se llaman *artes plásticas o del espacio*, a diferencia de la música y la poesía, cuyas obras no ocupan lugar, sino que se desarrollan a lo largo del tiempo; por eso reciben el nombre de *artes del tiempo*, y también *artes rítmicas* por ser en ellas el ritmo esencial factor expresivo. En la música el ritmo se aplica a combinaciones de sonidos, y en la poesía a las palabras. En la danza intervienen a la vez elementos plásticos —masas corpóreas— y rítmicos —movimientos distribuidos en el tiempo.

Poesía y literatura

La poesía es, pues, el arte que tiene por instrumento expresivo la palabra. Esto supone ya una gran restricción de significado, pues en griego *poíesis* equivalía a «creación», «obra» en general. Pero aún se usa *poesía* en acepción más concreta, limitada a la creación artística en verso, o al género más puramente estético del arte de la palabra.

En su sentido actual más amplio, *poesía* coincide en muchos aspectos con el término *literatura* (del latín *litterae*, «letras»), que designa también el arte de la palabra. Bien es verdad que *poesía* pone más de relieve la intervención de la actividad creadora. *Obra literaria* es la creación artística expresada en palabras, aun cuando no se haya escrito, sino propagado de boca en boca. *Literatura* significa además «conjunto de obras literarias de un país, época o género», y así podemos hablar de literatura griega, literatura medieval o literatura didáctica. Finalmente, *literatura* vale también para indicar el estudio y análisis de la creación literaria en general.

Retórica, Poética, Preceptiva literaria

Ya en el mundo griego se intentó convertir en estudio razonado las observaciones relativas a las obras literarias y su composición. El género que en este sentido atrajo más pronto la atención de las gentes fue la oratoria, cosa explicable dada la importancia que para la vida política y aun para la privada tenían la exposición elocuente y la hábil argumentación.

Se atribuye a Empédocles de Agrigento (siglo v antes de Jesucristo) la invención del nombre de *Retórica* para la enseñanza técnica de la oratoria; Córax y Tisias, discípulos de Empédocles, y los *sofistas*, que creyendo imposible el conocimiento de la verdad, aspiraban a dar apariencia de verdad a cualquier teoría, sin importarles su contenido, dieron gran impulso a la naciente disciplina. Después sus más importantes cultivadores fueron Aristóteles y Longino, y entre los romanos, Cicerón y Quintiliano, este último nacido en España.

A Aristóteles se debe la primera *Poética*, tratado en que analiza el carácter fundamental del arte —que para él es la imitación— y los distintos géneros poéticos. Extraordinaria fortuna ha tenido el *Arte poética*, de Horacio, llamada también *Epístola ad Pisones*, por estar dirigida a los hijos del noble romano Pisón, literatos noveles a quienes el poeta alecciona sobre las condiciones y dificultades de cada tipo de poemas. En el Renacimiento, al volver la admiración por los escritores grecolatinos, las observaciones y consejos de Aristóteles y Horacio se convirtieron en leyes de indiscutible autoridad. Entre los siglos XVI y XVIII se multiplican las poéticas de gusto clásico, como las de Scalígero (1588), Boileau (1674) y el español Luzán (1737); no se limitaban sus autores a registrar los usos habituales en los poetas, sino que formulaban las reglas a que éstos debían sujetarse, según el parecer de los teorizantes. También las retóricas de entonces tenían carácter normativo y estaban fuertemente inspiradas en los maestros de la antigüedad. La misma orientación siguió predominando en estas enseñanzas durante el siglo XIX, a pesar de que los escritores hacían caso omiso de las reglas clásicas, proclamaban la libertad artística y ensayaban géneros desconocidos hasta entonces.

En época reciente se quiso reunir bajo un solo nombre los estudios hasta entonces designados con los de Retórica o Poética, y a la vez abarcar otras clases de obras literarias. El nombre adoptado fue el de *Preceptiva literaria*, hoy impropio ya porque no creemos en la utilidad de dictar preceptos a los escritores. Son ellos quienes con sus creaciones abren las rutas del arte, y la tarea que nos incumbe es la de acercarnos a sus obras y prepararnos a comprenderlas.

II

Lo bello y otras nociones estéticas

La Estética

Estética es la ciencia de lo bello y de la creación artística. Su nombre procede de la palabra griega *aisthesis*, que significa «sensación», y fue usado por vez primera a mediados del siglo XVIII: el filósofo alemán Alejandro Teófilo Baumgarten (1714-1762) lo empleó entonces para designar la ciencia del conocimiento sensitivo a diferencia de la lógica, cuyo objeto es el conocimiento intelectivo. En el conocimiento sensitivo incluía Baumgarten la impresión producida por la belleza.

Aunque el nombre de estética sea moderno, la preocupación filosófica por lo bello y el arte arrancan de muy antiguo. Ya en el siglo IV antes de Jesucristo la vemos presente en algunos maravillosos diálogos de Platón. En el mundo grecorromano abordaron también los problemas estéticos Aristóteles, Cicerón, Plotino y San Agustín, entre otros, y en la Edad Media, Santo Tomás de Aquino. En el Renacimiento las doctrinas clásicas ejercieron extraordinaria influencia, aunque no faltaron innovaciones, sobre todo en escritores españoles, que mostraron notable libertad de criterio. Con Baumgarten la estética se constituye en ciencia independiente y desde entonces alcanza intenso cultivo en toda Europa, especialmente en Alemania. Las prinpales aportaciones españolas han sido las *Investigaciones*

13

filosóficas sobre la Belleza Ideal, del P. Arteaga (1789)
y la *Historia de las ideas estéticas en España*, de Menéndez
Pelayo, que excediendo al enunciado del título, abarca
el desarrollo completo de la estética europea hasta muy
avanzado el siglo XIX.

Lo bello y lo feo

Cada sistema filosófico, desde Platón hasta nuestros
días, se ha planteado de distinto modo la pregunta de
qué es lo bello; igualmente dispares han sido las respuestas.
Sin entrar en tales discusiones, puede decirse que *bello* es
el adjetivo que aplicamos a todo aquello cuya mera contemplación origina un placer espiritual, agradándonos
de modo inmediato y desinteresado; Santo Tomás lo
define como «id cuius ipsa apprehensio placet». Lo bello
origina, pues, un goce de naturaleza más elevada que
la del placer sensible: a lo que nos produce simple deleite
de los sentidos no lo llamamos bello, sino *agradable;* y aun
cuando en el sentimiento de la belleza pueda haber una
parte de disfrute sensible, no cabe duda de que existen
también elementos puramente espirituales.

La afirmación de que el agrado estético es *inmediato*
significa que surge de la contemplación misma, sin reflexión
previa, aunque después la consideración detenida del
objeto contemplado pueda aumentar o depurar el goce.
Es además *desinteresado* porque no satisface más necesidad
que el deseo de la contemplación; en esto se diferencia
lo bello de lo *útil*, que nos sirve para un fin ulterior. En
un mismo objeto pueden darse reunidas la utilidad y la
belleza, pero siempre como cualidades independientes:
un edificio será útil si reúne condiciones adecuadas al
fin para el cual ha sido construido; será bello si despierta
en nosotros placer estético, ajeno a toda utilidad.

En cuanto a las relaciones existentes entre lo bello, lo
bueno y lo verdadero, es indudable que al imaginar la
suma belleza abstracta, la Belleza ideal que sólo es posible

en el Ser Absoluto, en la Divinidad, hemos de pensarla unida al Bien y Verdad supremos. Pero no es menos cierto que los términos «bueno» y «verdadero» designan conceptos radicalmente distintos del de la belleza. El bien es la meta última de la voluntad y de los actos del hombre en cuanto ser moral; el conocimiento de la verdad es la aspiración de la inteligencia; la belleza habla al sentimiento y a la fantasía, o es creación de ellos.

Lo que hay de común entre lo agradable, lo útil, lo bello, lo verdadero y lo bueno, es ser todos cualidades que nos hacen conceder estimación a las cosas o seres que las poseen; coinciden, pues, en ser *valores*. A cada valor se opone la cualidad contraria *(desvalor* o *contravalor)*. Lo *feo* es el desvalor opuesto a lo bello; la relación entre ambos es similar a la que existe entre bueno y malo, verdadero y falso, agradable y desagradable, provechoso y dañino, etc.

Cuestión debatida es la que se pregunta si los valores estéticos de la obra artística están o no subordinados a los intelectuales y morales. Durante mucho tiempo dominó la idea de que el arte había de tener un fin docente. Esto dio lugar a que las creaciones literarias fuesen juzgadas según las enseñanzas que de ellas se desprendían, lo que desde el punto de vista estético es un criterio injusto e inadecuado. La teoría opuesta sostiene que los valores estéticos bastan a la obra de arte, sin necesidad de someterse a otros. Llevada a su extremo esta doctrina de «el arte por el arte» puede ser también perniciosa: la exaltación de los valores estéticos con daño de la moral rompe la armonía en que se funda la salud espiritual del hombre. En nuestros días se discute con calor si es legítimo o no que el artista, como tal, se inhiba de tomar partido en las contiendas políticas o ideológicas; los defensores de la libertad artística se enfrentan a los paladines del *arte comprometido*.

Belleza *natural* es la ofrecida por la Naturaleza sin intervención humana —la de una mariposa, una flor, un árbol o un paisaje, por ejemplo—; belleza *artística* es la creada por el hombre —la de la poesía, un cuadro, una estatua, una composición musical—. Diferencia esencial entre ambos órdenes de belleza es que lo feo natural, representado en la obra de arte, puede ser tema de una creación bella, incluso bellísima: Velázquez hizo retratos extraordinarios de bufones cuya deformidad suscitaba risas en la corte de Felipe IV; el *Ricardo III*, de Shakespeare, es ejemplo consumado de cómo puede crearse un drama admirable tomando como protagonista a un personaje de horrenda fealdad moral.

Lo *lindo* o *bonito* es la belleza de lo pequeño. La *gracia* es la belleza del movimiento y la actitud, lo mismo que la *majestad;* pero en esta última cualidad lo bello se funde con una nota de grandeza.

Otras calificaciones estéticas

Llamamos *sublime* a aquello cuya contemplación o consideración sobrecoge el espíritu, ya porque en ello advirtamos una grandeza desmedida, ya porque entreveamos la presencia de lo infinito. Estéticamente lo sublime origina placer, pero no un goce sereno, sino acompañado de angustia. Hay sublimidad en las visiones, deslumbrantes o terribles, de los profetas, en los sorprendentes cielos pintados por el Greco, en los momentos más arrebatados de las sinfonías de Beethoven; análogos sentimientos puede despertar la meditación de la eternidad o infinitud, o la sensación de nuestra pequeñez frente a vastas extensiones y grandiosos fenómenos de la Naturaleza.

Variedad de lo sublime es lo *trágico*, que resulta de la lucha del hombre contra una adversidad más poderosa que él; provoca en los demás el terror o la compasión, a la vez que una elevación purificadora, originada bien por la grandeza moral del héroe, bien por la expiación de sus culpas. Lo *patético* nace de la contemplación de un dolor humano que nos conmueve profundamente, sin llegar a la grandeza de lo trágico.

Lo *cómico* se produce como resultado de una falsa interpretación de palabras o situaciones; los individuos o personajes obran como si ocurriera algo que no sucede, y el contraste entre sus actos y los que serían de esperar dadas las circunstancias reales, despierta el regocijo del que los presencia. Lo *ridículo* es un género de comicidad acentuada que se origina por una falsa idea de sí mismo, por una desproporción entre los medios utilizados y el objeto perseguido, o por ser totalmente disparatados unos u otro.

Lo *humorístico* salta con facilidad de la actitud grave a la burla, de la alegría a la tristeza, de lo razonable a lo absurdo, de tal modo que lo realmente serio aparece como bufonada, o por el contrario, la burla toma aspecto de sentenciosa solemnidad. El humorismo es un juego demoledor que quita importancia a lo generalmente reconocido como trascendental, al equipararlo con lo insignificante. Por eso encierra muchas veces una visión amarga y desengañada del mundo, la humanidad o la vida; pero en muchas otras abre paso a nuevos ideales en lucha con los ya ineficaces o desgastados.

Idealismo y realismo

Aristóteles señaló como fundamento del arte la *mímesis* o imitación de la Naturaleza, y su doctrina no ha sido contradicha en lo esencial hasta nuestros días: secularmente el arte se ha inspirado en objetos, seres y hechos reales, y los intentos de crear obras ajenas al recuerdo de lo natural sólo dieron resultado fecundo en arquitectura y música. Es cierto que el *arte abstracto* actual trata de crear también en pintura y escultura obras ajenas a toda representación de la realidad física.

Asimismo es cierto que no han faltado en poesía tentativas de aprovechar la sonoridad y el poder evocador de las palabras desligadas de su contenido nocional. Pero, hasta ahora al menos, tales conatos no han afectado a la creación literaria en general, que sigue valiéndose de las palabras como representación de realidades; por otra parte, el personaje de una novela, un drama o un poema narrativo necesita que su manera de ser y obrar tenga algún parecido con la de los hombres de carne y hueso. Ahora bien, el arte representativo no copia servilmente la realidad, sino que la *interpreta*: el pintor deja en el lienzo la imagen de la persona retratada, no con la fidelidad mecánica de la fotografía, sino con arreglo a lo que su intuición de artista percibe acerca de la fisonomía y alma del modelo. Al describir un paisaje, el escritor lo presenta según sus propias impresiones y sentimientos.

Ahora bien, esta interpretación puede quedar próxima a las realidades para mostrarlas semejantes a como son, o bien alejarse presentándolas *estilizadas*, modificadas según la idea que el artista se forma de ellas. Tal es el punto de partida de las dos corrientes, *realismo* e *idealismo*, cuya alternativa llena la historia del arte. El realismo cuenta entre sus virtudes la verdad y el vigor; el idealismo es casi siempre una tentativa nobilísima de dignificar la realidad quitándole imperfecciones.

III

Creación y tradición literarias

El artista y sus cualidades

El artista es la personalidad creadora de obras de arte. El artista literario recibe el nombre genérico de literato o escritor, o los especiales de poeta, dramaturgo, novelista, ensayista, crítico, etc., según la clase de obras a que dedique su actividad. El nombre de poeta puede aplicarse sólo al creador de obras sin más finalidad que la belleza pura, sobre todo si se vale del verso como forma de expresión; pero en un sentido más amplio puede referirse también al novelista, al dramaturgo y a veces a los cultivadores de otros géneros.

Las cualidades del artista suelen dividirse, como las de todo ser humano, en *innatas* y *adquiridas* por la educación o el hábito. Entre las facultades innatas destaca la *imaginación* o *fantasía*, que tiene intervención primordial en la concepción de la futura obra literaria; ella es la que da forma y consistencia a las ideas más o menos vagas que constituyen el primer germen de la obra. La imaginación creadora en ejercicio recibe el nombre de *inventiva*.

También es importantísima la *sensibilidad*, cualidad receptora de impresiones externas y capacidad de reaccionar ante ellas: quien no sienta emoción ante la belleza contemplada, difícilmente podrá convertirla en materia de una obra artística. El precepto horaciano *Si vis me flere, dolendum est primum ipsi tibi* (si quieres hacerme llorar,

19

tienes que dolerte primero tú mismo) tiene validez perdurable, porque el artista necesita sentir emoción ante lo que expresa en su obra; pero esto no quiere decir que sienta como cosa propia las pasiones y sufrimientos que imagina en sus personajes; basta que los comprenda y acierte a crearlos.

La sensibilidad, aunque de ordinario tenga una base innata, puede desarrollarse y afinarse mediante una labor educadora. Lo mismo sucede con el *gusto* o acierto en la apreciación, sentido exacto de lo que en cada caso debe ser preferido o rechazado. Cualidades adquiridas son la cultura, conocimientos, perfección técnica, etc.

Recibe el nombre de *genio* el conjunto de facultades creadoras cuando son extraordinarias. El *talento* consiste en el equilibrio y buen aprovechamiento de facultades poseídas en alto grado. El artista de genio es innovador; señala nuevos rumbos en su arte, aunque su obra sea frecuentemente desigual; el artista de talento aprovecha las orientaciones marcadas por el artista genial, y a falta de grandes novedades, ofrece en general mayor ponderación. Con el nombre de *ingenio* se conoce la agudeza mental, la facultad que descubre rápidamente inesperadas relaciones, originando juegos de conceptos y palabras, contraposiciones humorísticas u ocurrencias imprevistas. En nuestro Siglo de Oro, *ingenio* era también sinónimo de «escritor, persona dotada de facultades literarias»; así fue llamado Lope de Vega *el Fénix de los ingenios.*

Creación de la obra literaria

Desde que el escritor concibe el tema o *motivo* general de la obra hasta que ésta alcanza su realización definitiva, hay un proceso de creciente fijación: las ideas encarnan en imágenes y asuntos, se perfila el desarrollo que ha de seguirse, y las palabras, como la piel al cuerpo, envuelven y limitan lo creado.

La estética del siglo último acostumbraba a distinguir el *contenido* o *fondo*, constituido por las ideas, y la *forma* que presentan en la obra. Pero contenido y forma no se dan separados en la mente del artista; aparecen desde el principio indisolublemente soldados, y asuntos, personajes, imágenes, pensamientos y palabras son fruto de una progresiva *conformación*, en que toman contornos cada vez más precisos tanto la forma como el fondo.

Tradicionalmente suelen señalarse tres momentos o etapas en la creación literaria: *invención, disposición y elocución*. La *invención* es el hallazgo del tema general: un hecho externo o interno conmueve el espíritu del escritor, que siente el afán de exteriorizar esa conmoción vivida, su *vivencia*, en una obra bella y duradera, e imagina cómo ha de ser ésta en sus líneas fundamentales. La *disposición* consiste en la tarea de distribuir y ordenar la materia, trazando el plan y bosquejando la obra. La *elocución* es el momento en que la creación literaria toma su forma definitiva concretándose en palabras. La distinción de estas operaciones sucesivas es más teórica que práctica: muchas veces la obra se elabora de modo gradual y meditado; pero otras surge repentinamente, sobre todo en la poesía. Cuando nace al calor de las circunstancias, sin reflexión previa, se le da el nombre de *improvisación*.

Inspiración es el estado del artista que en plena tensión creadora siente acudir a su mente ideas y formas expresivas felices. Artistas de todas las épocas coinciden en atribuir la inspiración a una especie de arrebato genial que se apodera de ellos; el mismo nombre *inspiratio*, «soplo, insuflación», alude a este sentirse poseídos del espíritu creador.

Originalidad, imitación y traducción

Llamamos *originalidad* a la cualidad de aquellas producciones artísticas que ofrecen carácter propio. Es muy difícil que se dé la originalidad absoluta, es decir, la de creaciones que no deban nada a obras anteriores. La razón es que tanto en literatura como en arte hay *tradi-*

ción: cada generación recibe la herencia de las creaciones precedentes. Pero la originalidad relativa es imprescindible para que la obra artística posea algún valor: un escritor puede aprovechar el asunto o los personajes, incluso seguir de cerca pasajes y frases de otro; pero a condición de que añada, por lo menos, una interpretación personal. Tomando como base la insignificante narración hecha por un cuentista italiano, Shakespeare construye la trama admirable de *Otelo*. Tirso de Molina crea en *El Burlador de Sevilla* el tipo de Don Juan Tenorio; después, Molière, Byron, Zorrilla y otros heredan, imitándolo, el drama de Tirso, pero lo modifican profundamente: el Don Juan de cada uno es una obra original. Cuando la imitación no añade belleza ni novedad a la obra imitada, recibe el nombre de *plagio*.

La *refundición* da forma a una obra anterior, conservando lo esencial de ella, aunque varíe algún rasgo y ofrezca supresiones o añadiduras. La *adaptación* y el *arreglo* modifican obras, generalmente de otra época, país o género, ajustándolas a los gustos y circunstancias del público a quien el adaptador las destina, o a las exigencias de un género distinto.

La *traducción* presenta en una lengua lo que primeramente fue dicho o escrito en otra. No es tarea fácil la del traductor: si en una lengua no hay dos expresiones exactmente sinónimas, difícil es también encontrarlas en idiomas distintos, cada uno de los cuales tiene su espíritu peculiar. Por eso se ha negado la posibilidad de que haya traducciones fieles, y a ello alude el proverbio italiano *traduttore, traditore*. Una buena traducción supone una fina interpretación previa y una despierta intuición artística.

Tradición culta y tradición popular

La tradición literaria ofrece dos variedades claramente diferenciadas: la tradición *culta* o *erudita* conserva inalteradas las obras a lo largo del tiempo, sin que sean obstáculo las imitaciones o refundiciones a que den lugar. Así la *Eneida* de Virgilio, las tragedias de Corneille o el *Quijote* se leen hoy tal como los dejaron sus autores. Asuntos, caracteres y temas pasan de unas producciones a otras, pero cada autor que los trata realiza una creación aparte y definitiva: es el caso de las numerosas interpretaciones del tipo de Don Juan, ya aludidas. De ordinario suelen conocerse el nombre y labor tanto del autor primero como de los posteriores.

La tradición *popular* transmite las obras de generación en generación modificándolas constantemente; suele hacerlo por vía oral, y cada recitador puede ser un refundidor más si introduce una variante que logre arraigo. La obra no tiene forma definitiva y única, sino fluctuante y varia: a la que le dio el primer autor, generalmente ignorado, se incorporan los aciertos y torpezas de infinitos autores secundarios anónimos también. Así ocurre con los romances: los de Gerineldo, el conde Olinos, la infantina encantada, Don Bueso y muchos otros que tienen amplia difusión todavía hoy, existían ya en los siglos xv y xvi; pero no como en la actualidad se cantan, sino en forma distinta, que nos es conocida a veces por pliegos volanderos o colecciones publicadas entonces; las modificaciones no han sido iguales en todos los lugares o individuos, de manera que se han llegado a recoger más de cien versiones modernas de un mismo romance. Lo mismo sucede en la transmisión de las canciones líricas o de los cuentos populares.

A diferencia de las obras heredadas por conducto erudito, que constituyen la *literatura culta* o *de arte*, se llama *literatura tradicional* a la que pasa de unos tiempos a otros por tradición popular.

Escuelas y épocas literarias

En la historia de la literatura, y en general, del arte, se observa la existencia de características comunes a

23

grupos más o menos amplios de artistas y escritores. A veces esta semejanza se debe a que todos los del grupo han tomado por modelo la obra de un espíritu innovador, cuyas huellas siguen. Otras veces la coincidencia estética obedece a las condiciones históricas similares en que se encuentran los artistas y literatos de una misma generación o época. Finalmente puede influir también la comunicación entre los agentes creadores que tienen una misma ciudad o corte como centro cultural. A estos grupos se les da el nombre de *escuelas*, que no significa haya habido lazos de enseñanza ni magisterio efectivos.

En el desarrollo histórico de la literatura se destacan con individualidad propia épocas y movimientos a los cuales tendremos que referirnos constantemente, por lo que conviene ahora tratar de caracterizarlos, aunque sea de modo somero.

Grecia y Roma han proporcionado a la civilización occidental principios fundamentales de ciencia, pensamiento, arte, literatura, organización estatal y derecho. Los poetas y escritores griegos, y los latinos, frecuentemente inspirados en las letras helénicas, han sido objeto de fervorosa imitación, siendo considerados como inigualables modelos. Por esto se les llama *clásicos*, pues clasicismo es sinónimo de equilibrada perfección. En los últimos siglos del mundo antiguo la propagación del cristianismo trajo como consecuencia el influjo de la literatura hebrea; la Biblia ha servido de inexhausto manantial de inspiración para la literatura cristiana de todos los tiempos.

La Edad Media se abre con un largo hundimiento cultural determinado por las invasiones bárbaras y la multiplicación de los señoríos feudales. Sólo entre los escasos hombres de algún saber prosigue el cultivo del latín, siquiera en forma tosca y decadente. En aquella sociedad brutal y guerrera, la poesía heroica halla público entusiasta y amplio repertorio de asuntos. Frente a la Cristiandad se alza el islamismo, y la literatura árabe alcanza un florecimiento extraordinario.

Desde los siglos XI y XII, las nuevas lenguas romances y germánicas empiezan a tener cultivo literario de consideración. El mayor refinamiento de las cortes señoriales, el influjo árabe y el de la filosofía aristotélica cristianizada, originan un resurgimiento de la cultura. Junto a la poesía heroica, se extiende por toda Europa la de los trovadores, nacida en Provenza, que exaltan el amor espiritualizado. La teología escolástica constituye la armazón de la *Divina Comedia*, de Dante, cumbre de la poesía medieval.

El final de la Edad Media y principio de la Moderna corresponden al *Renacimiento*, período en que una vivísima curiosidad por todas las cosas referentes al hombre despierta inusitada afición por las *humanidades* o letras grecolatinas. Los *humanistas* sacan a la luz multitud de obras clásicas que habían permanecido olvidadas en las bibliotecas de los conventos, y que entonces se convierten en dechados cuya imitación es punto menos que forzosa. La admiración por la antigüedad origina una infiltración de paganismo y una extraordinaria fe en la perfección de la Naturaleza. Por eso, cuando el Renacimiento llega a su plenitud, en la primera mitad del siglo XVI, el arte y la literatura buscan la sencillez, la naturalidad selecta, pero no afectada. En España, Boscán y Garcilaso introducen entonces (1526-1536) las formas de versificación italianas.

La reforma protestante marca el principio de una reacción religiosa. La pagana despreocupación del humanismo es sustituida por luchas en torno al dogma. La ortodoxia católica se define y consolida en la *Contrarreforma*. Se conservan pero despojándolas, en lo posible, de su carácter pagano, a fin de armonizarlas con el cristianismo. Durante la segunda mitad del siglo XVI pervive el gusto por la sencillez, muchas veces austera, como en los escritores místicos españoles y, en arquitectura, en el monasterio de El Escorial.

Al doblar el 1600 empiezan a manifestarse las tendencias artísticas que han de dominar en todo el siglo XVII y que en España se prolongarán hasta bien entrado el XVIII. Es la época *barroca*. El arte y la literatura buscan la complicación de formas; las líneas se quiebran, las columnas se retuercen, como si todo se agitara en movimientos de llama. La literatura, llena de contradicciones, trata de refugiarse en un mundo idealizado, sugerido por un lenguaje pletórico de adornos *(culteranismo)*; o condensa el sentido en pocas palabras, aprovechadas en abundantes juegos de ingenio *(conceptismo)*. Estas corrientes españolas tienen su paralelo en otras extranjeras.

Desde la implantación de los metros italianos hasta los últimos años del siglo XVII, se extiende la época más brillante de las letras españolas, impropiamente llamada *Siglo de Oro*, pues abarca mucho más de una centuria. Se inicia en pleno Renacimiento, y culmina en la Contrarreforma y el Barroco. Los escritores de este período son considerados como nuestros *clásicos*, aunque en el sentido de ponderación armónica el clasicismo sólo se encuentra en la literatura del siglo XVI, de Garcilaso a Cervantes, no en el período Barroco.

En Francia, mientras tanto, las tendencias barrocas son arrolladas por un gusto basado en la razón y en los modelos grecolatinos; esta literatura medida, sin grandes atrevimientos ni desigualdades, exquisita y pocas veces genial, culmina en la segunda mitad del siglo XVII, en la gran época de Luis XIV. En el siglo XVIII las letras francesas influyen en toda Europa, imponiendo el *neoclasicismo*, interpretación estrecha y racionalista de las normas artísticas usuales en la antigüedad. La obediencia a las reglas es condición indispensable para que una obra literaria obtenga la aprobación de los doctos, que no contentos con el goce de la belleza, exigen que el arte responda a un fin didáctico. La crítica enciclopedista inspirada en nuevas doctrinas, va minando los fundamentos religiosos y políticos en que hasta entonces descansaba la organización de la sociedad, y prepara así el camino de la Revolución francesa que estalla en 1789.

Desde unos decenios antes se iba extendiendo ya otro movimiento de diferentes miras, el *Prerromanticismo*. Frente al culto a la razón, Rousseau exalta las excelencias del sentimiento y la fantasía. Se busca la efusión de lágrimas, las conmociones patéticas, el regusto de la melancolía; las ruinas y los sepulcros son temas literarios preferidos. Ejercen atractivo especial el goce de la vida primitiva y la contemplación de la Naturaleza. En Alemania los poetas rompen con las reglas neoclásicas y proclaman la libertad artística. Se despierta la afición por asuntos de la Edad Media. En los comienzos del siglo xix surge el *Romanticismo* puro, turbulento e individualista. Los escritores concentran su mirada en el propio espíritu, cuyos sentimientos escudriñan dolorosamente. Sueñan lo que la realidad no puede ofrecerles; se sienten superiores a la sociedad e incomprendidos por ella, y como ángeles caídos, se entregan a la desesperación o a una resignación amarga. En cuanto a la forma, se complacen en quebrantar los preceptos, mezclando en los poemas elementos heterogéneos, y juntan en una misma producción la prosa y el verso o versos de diversos tipos. En Francia el Romanticismo no triunfa por completo hasta 1830, y en España hasta pocos años después.

Gradualmente la orientación del pensamiento europeo se aparta del idealismo romántico. Desde mediados del siglo xix la ciencia quiere desligarse de especulaciones filosóficas para atenerse a los resultados de la observación y el experimento. A este *positivismo* científico corresponde *el realismo* literario: en la poesía, la escuela *parnasiana*, en vez de servir al desahogo sentimental, como la poesía romántica, atiende principalmente al cuidado de la forma y aspira a dar con las palabras la impresión visual propia de las artes plásticas. En la novela y el teatro los autores pretenden ser objetivos, desligarse de sus sentimientos y deseos, y pintar fielmente la realidad que los circunda, sin disimular sus mezquindades. El realismo llega a su extremo, combinándose con una concepción materialista de la vida, en el *naturalismo*, que intenta hacer de la literatura algo tan crudamente veraz que pueda servir de «documento humano», interesándose en el análisis de los instintos primarios y en la descripción de las miserias sociales.

A fines de siglo se observan en las diversas literaturas movimientos espiritualistas como el *simbolismo* francés, que prefiere sugerir a nombrar, y trata de despertar estados de ánimo imprecisos, semejantes a los que provoca la música. En Hispanoamérica y España el *modernismo* trata de aclimatar las tendencias formales e ideológicas aparecidas en las letras extranjeras, sobre todo en la poesía. Más honda y trascendental es en España la corriente representada por la *generación de 1898*, grupo de escritores angustiadamente preocupados por la historia y el destino de la patria.

La conmoción espiritual acarreada por la guerra de 1914-1918, y la crisis que desde entonces atraviesa nuestra civilización, han tenido como una de sus manifestaciones literarias la aparición de tendencias como el *futurismo*, el *dadaísmo* y el *superrealismo*. Coinciden en ser movimientos de rebeldía artística, desdeñosos de toda tradición. El superrealismo, que renueva el viejo naturalismo añadiéndole inquietudes filosóficas y atendiendo al mundo de lo subconsciente, es también revolucionario en el aspecto ideológico. Estas actitudes iconoclastas alternan con tendencias que reclaman un extremado rigor formal, una ansiosa búsqueda de la perfección más acendrada.

IV

El lenguaje literario

La expresión literaria y la familiar

El lenguaje de que se vale la literatura no difiere en lo esencial del que empleamos corrientemente. Son raros los casos en que una lengua —como el latín—, habiendo desaparecido del habla ordinaria, ha pervivido como instrumento de exposición culta. Por lo general, literatura y habla usan una misma lengua, con idénticos sonidos y procedimientos gramaticales.

Y sin embargo, es evidente que existe una separación, una diferencia de nivel. Al escribir, hay siempre un afán de superación que hace evitar voces, giros o frases empleados sin escrúpulo en el coloquio llano; en éste, a su vez, parecerían demasiado elevadas muchas formas de expresión corrientes en la literatura.

La divergencia comienza desde el momento en que la literatura adquiere desarrollo y prestigio suficientes para imponer un gusto selecto a su lenguaje. Pero la distancia no es siempre igual ni progresivamente mayor: hay acercamientos y divorcios. En unas épocas el influjo literario eleva el tono de la expresión media; en otras, sin variar apenas la lengua literaria, el habla usual se emplebeyece y transforma rápidamente, como sucedió con el latín vulgar. Puede ocurrir que el alejamiento sea obra de literatos ansiosos de eludir la trivialidad creándose un lenguaje artístico independiente —en lo

29

posible— y depurado; pero tampoco faltan momentos en que los escritores, por deseo de realismo, acogen, dignificándolas, voces y fraseología populares.

El lenguaje literario amplía y enriquece el léxico y afina los matices significativos con una incesante labor creadora; elige entre unas formas expresivas y otras, con lo que contribuye a la fijación del idioma; y sirve de freno a las tendencias que precipitan la evolución lingüística: así las transformaciones sufridas por el latín vulgar y las lenguas romances en los rudos tiempos de las invasiones bárbaras y la primera Edad Media contrastan con la menor rapidez que se observa en los cambios desde que Alfonso X fija el tipo del «castellano drecho», y sobre todo, con la notable estabilidad lingüística perceptible desde el siglo XVII, cuando la tradición literaria es más poderosa. La literatura conserva usos que el habla habría olvidado por completo: recuérdense *ambos, sendos, cuyo,* los tiempos *cantare, hubiere cantado,* las infinitas palabras y locuciones que, normales en la escritura, nos sorprenderían en la conversación, como *en vano, tornar, a buen seguro, morar, señero,* etc.

Cualidades del lenguaje literario

Aunque sean cualidades deseables en toda expresión verbal, el lenguaje literario necesita especialmente poseer *claridad, propiedad, vigor expresivo, decoro, corrección, armonía, abundancia y pureza.*

La *claridad* consiste en que la idea se exponga de manera que evite interpretaciones erróneas y sólo dé a entender lo que el autor quiere decir. Contra la claridad peca la *ambigüedad* o *anfibología,* vicio de las expresiones que ofrecen duplicidad de sentido; es anfibológica la frase *quienes pretendían gobernar la nación sólo deseaban su bienestar,* pues no sabemos si se trata del bienestar de la nación o del particular de los que aspiraban a gobernarla. Cuando la anfibología se produce intencionadamente, jugando con dos sentidos de una misma palabra o con dos palabras de forma idéntica, se llama *equívoco*: en el *Buscón*, de Quevedo, el pícaro don Pablos cuenta así cómo su padre, castigado por ladrón, había recibido doscientos azotes:

> «Por estas y otras niñerías estuvo preso; aunque según a mí me han dicho después, salió de la cárcel con tanta honra, que *le acompañaron doscientos cardenales*, sino que a ninguno llamaban eminencia.»

También se ha entendido por claridad la facilidad que ofrecen las expresiones para ser comprendidas sin esfuerzo. Pero el grado en que se requiere tal facilidad ha sido siempre muy discutido. Desde luego, no puede entrar en cuenta el juicio de los ignorantes, que considerarán oscuro todo aquello que no conocen. Aun en ambientes cultos, no parece justo que la superior capacidad creadora del artista haya de estar supeditada a la inercia de los demás.

La *propiedad* se da cuando las palabras usadas son las que justamente convienen a lo que se pretende expresar. No bastan aproximaciones vagas; hace falta el término exacto. Las palabras no son intercambiables, pues no hay verdaderos sinónimos; aun aquellas que están más próximas en cuanto al concepto, ofrecen diferencia de matiz afectivo: *anciano* y *viejo* coinciden en aplicarse a las personas de mucha edad, pero en *anciano* el significado fundamental va acompañado de un tinte de veneración que no existe en *viejo*.

Posee *vigor expresivo* el lenguaje cuando expresa con fuerza representativa lo que el escritor o hablante se propone. Si el poder expresivo es tanto que lo mentado aparece ante nuestra imaginación con caracteres de realidad sensible, se dice que hay *plasticidad* en el lenguaje. Plásticamente Quevedo personifica a la envidia diciendo que *está flaca*, porque *muerde y no come*. Gran parte del

31

vigor se debe a la novedad de la expresión, pues la repetición acaba por desgastarla, haciéndola vulgar y restándole efecto.

El *decoro* elimina todo aquello que está tachado de chabacano, grosero o contrario al pudor. Es muy variable la delimitación entre lo decoroso y lo indecoroso: *pobre* y *perro* no eran palabras gratas al gusto señorial del siglo XII, que las sustituía con *menguado* y *can*. Nuestros clásicos no evitan vocablos que después fueron inadmisibles. En los últimos decenios se nota creciente complacencia en la expresión malsonante, compañera de la crudeza descriptiva.

La *corrección* exige que se respeten las normas lingüísticas vigentes. La infracción de las reglas sintácticas se llama *solecismo*. Incurren en él los que contravienen a la concordancia (*«le* llevé regalos a las niñas», en vez de *«les* llevé»); al régimen, usando mal pronombres y preposiciones («a Antonia *la* he escrito hoy una tarjeta», «ir *a por* agua», «timbre *a* metálico», en lugar de *«le* he escrito», «ir *por* agua», «timbre *en* metálico»); al buen orden de las palabras («te se ha roto el libro», por «se te ha roto»); o a cualesquier otros hábitos congruentes de la sintaxis («Pedro es rico; *sin embargo*, Juan es pobre», donde lo correcto sería *«en cambio»* o *«por el contrario* Juan es pobre», etc.). La mayoría de las faltas enumeradas son vulgarismos, como casi todas las referentes a las formas gramaticales («tú dijiste*s*», «siéntense*n*», en vez de «tú dijiste», «siéntense»).

Son vituperables también regionalismos como el *si tendría* por *si tuviera*, de Vascongadas y zonas limítrofes; los salmantinos y extremeños *quedar, caer* por *dejar* y *tirar;* la confusión entre *sacar* y *quitar*, de los gallegos; el andaluz *ustedes salís* por *vosotros salís*, y tantos más. Primordial importancia tiene la pronunciación correcta en cuantos intervienen en la difusión oral de la palabra literaria: una mínima preocupación por el idioma exigiría que oradores, conferenciantes, artistas de teatro y cine, locutores de radio y maestros tuvieran dicción esmerada.

La *armonía* se logra atendiendo, en la elección de las palabras, a sus cualidades sonoras, y disponiendo las frases de manera que aproveche y realce los elementos musicales propios del lenguaje. Ya veremos en el capítulo VIII cuáles son esos elementos melódicos y rítmicos, así como su elaboración en la literatura. Contraria a la eufonía o buen sonido es la *cacofonía:* cacofónicos son los *hiatos molestos* —encuentros duros de vocales—, como «dio la var*a* a *A*arón»; la inútil repetición de consonantes, como en el verso de Espronceda; «Y ex*tá*tico an*te t*i me *a*trevo a hablar*te*»; y las coincidencias de sonidos que no están a finales de verso: «Vi*ví* fuera de m*í* desde que le v*i*».

La *abundancia* estriba en la riqueza y variedad del vocabulario y la sintaxis. Si el autor dispone de gran caudal de recursos expresivos, su lenguaje discurrirá con fluidez y sin monotonía.

Para obtener abundancia de léxico los escritores se valen a veces de *arcaísmos*, palabras o giros olvidados, de los cuales hay testimonios en otras épocas: por ejemplo, *haldear, almocrebe, dientes helgados,* usuales en los siglos xv y xvi, han sido rehabilitados hace poco. Las voces de antigua raigambre que la literatura no ha registrado antes, pero que viven con larga tradición en boca del pueblo, son también cariñosamente acogidas hoy: Unamuno emplea *sobrehaz, cogüelmo, remejer, brizar;* Azorín, remozador de arcaísmos, aprovecha igualmente la nomenclatura del tecnicismo popular:

«En el pueblo los oficiales de mano se agrupan en distintas callejuelas; aquí están los *tundidores, perchadores, cardadores, arcadores, perailes;* allá en la otra los *correcheros,* guarnicioneros, boteros, *chicarreros.*» «Se labran botas en esos talleres, y se labran odres y zaques. *Odrina* es un zaque o pellejo o cuero de gran tamaño, fabricado con una piel de buey. La odrina es lo mayor y el *botillo* es lo menor.»

33

Al lado de la cantera popular, rica en vocablos de significación concreta, el latín y el griego proporcionan multitud de términos sonoros y prestigiosos, aptos para el lenguaje elevado o idóneos para la expresión de conceptos abstractos: son los que en Gramática histórica reciben los nombres de *cultismos y tecnicismos eruditos.*

Pureza del lenguaje. Barbarismos

Es *puro* el lenguaje cuando emplea voces y construcciones propias del idioma, sin injerencia de elementos extranjeros innecesarios. La pureza no excluye el uso de extranjerismos ya asimilados, que sólo estudiosamente podemos reconocer como tales: es indiferente que *amarrar* tenga procedencia holandesa, que *viaje, manjar, homenaje, chaqueta* o *tisú* hayan venido del francés, y *capricho* o *analfabeto* del italiano; el hablante español no advierte diferencia entre ellos y el léxico de abolengo nativo. Por otra parte hay casos en que está justificada la adopción del término extraño, sobre todo cuando éste designa un concepto o realidad que no encuentra expresión indígena justa: el anglicismo *túnel* y el germanismo *níquel* pueden servir de ejemplo.

Ahora bien, hay que repudiar el *barbarismo* o extranjerismo superfluo (del griego, *bárbaros,* extranjero). Por ignorancia, descuido o frivolidad se manejan pasajeramente muchos: el *hall* del *chalet,* el *foyer* del teatro, el *trousseau* de la novia, el *renard* con que la dama protege su cuello de los fríos invernales, etc. Muchas de estas denominaciones exóticas desaparecerán o se acomodarán a la fonética española; la pérdida ha ocurrido en *sport* y *speaker,* sustituidos por *deporte* y *locutor;* la acomodación fonética es bien perceptible en *chófer, garaje, tique* o *esplín* (francés *chauffeur, garage,* inglés *ticket, spleen).* El mal del extranjerismo desembozado es que afea el lenguaje y puede arrinconar las correspondientes palabras del idioma. Más peligroso es el extranjerismo de construcción, con frase pensada en otra lengua, aunque disfrazada con palabras españolas; he aquí algún ejemplo: «Asuntos *a* resolver», «Este *pequeño libro* es encantador», «*Es por esto que* quiero verte», «Se han recibido noticias *dando* cuenta del accidente». Las construcciones genuinamente españolas son: «asuntos *por* resolver», o «*que* resolver», «este *librito*», «*por esto es por lo que* quiero verte», «noticias *que dan* cuenta».

La reacción contra influencias extranjeras puede llevar a los extremos del *purismo* y *casticismo,* que aspiran a una absoluta pureza idiomática, basada en servil imitación de los clásicos y en rígida corrección, para obtener la cual sacrifican muchas veces la naturalidad y la viveza.

V

El lenguaje figurado

Lógica y expresividad

Mediante el lenguaje podemos enunciar juicios y razonamientos de una manera objetiva, sin manifestar en forma apreciable el acompañamiento de interés o emoción que hayan despertado en nosotros, ni denunciar ligazón alguna con las circunstancias. Este tipo de lenguaje es el ideal de la exposición científica, el lenguaje *lógico*. Lo que importa en él es la claridad y la exactitud. No deberá dejar sobrentendido nada; los asertos, hechos de una vez para siempre, no necesitan repeticiones enfáticas. Bastan las construcciones gramaticales más fijas y la entonación menos modulada. Cada término estará empleado en su significación permanente y justa, esto es, en *sentido directo*.

Pero el lenguaje nos sirve también para exteriorizar lo que sentimos, queremos o imaginamos, para la *expresión* cargada de afectividad. El lenguaje *expresivo* depende estrechamente de la emoción personal y de las circunstancias. La emoción se traduce en ricas y variadas inflexiones de la entonación. Se omite decir lo que las circunstancias dejan comprender; se insiste, repitiéndolas, en palabras o frases. Las construcciones gramaticales se quiebran y desordenan. Las palabras y giros convenientes desde el punto de vista lógico, son reemplazados por otros que experimentan un cambio accidental de significación, usándose en *sentido figurado*.

37

Ninguno de los dos tipos de lenguaje se da en la realidad totalmente desligado del otro. Incluso el teorema de Pitágoras puede ser enunciado con vivacidad, y hasta en exclamaciones caben elementos conceptuales.

Lenguaje figurado

Los retóricos llamaron *figuras* a las formas peculiares del lenguaje expresivo, y las estudiaron afanosamente con vistas a su utilización en el discurso y en la poesía. Pero ya Montaigne (1533-1592) observó que los tecnicismos de la retórica grecolatina eran «denominaciones que pueden aplicarse a la charla de vuestra criada». En efecto, el habla espontánea se vale de las figuras con absoluta naturalidad, y hay variedades suyas, como el lenguaje popular y las jergas o *argots*, donde afectividad e imaginación tienen un papel de creación irrestañable.

Ahora bien, la expresión figurada se desgasta al generalizarse; a mayor difusión suele corresponder menor eficacia. El habla diaria nos brinda a veces la figura en el momento de su creación, cuando tiene más valor artístico; pero por lo común la ofrece repetida ya y manoseada: llamamos *las Siete Cabrillas* a las Pléyades, y hablamos de *las niñas* de los ojos o de *los ojos* del puente, sin que estas denominaciones conserven apenas un resto de su primario vigor representativo.

En la literatura, a pesar de que también abunda lo trillado —inevitable consecuencia de la tradición—, la renovación es más extensa, con profusión de expresiones recién nacidas, llenas de virtud poética.

La clasificación retórica tradicional dividía los procedimientos de que se vale el lenguaje expresivo en *figuras de lenguaje, de pensamiento* y *tropos*. Los límites entre una y otras clases no estaban marcados con precisión, y los tratadistas se contradecían o vacilaban frecuentemente. Dejando, pues, a un lado las clasificaciones, sólo nos detendremos en definir y ejemplificar aquellas figuras cuyos nombres son más usados en la técnica literaria o han pasado al lenguaje corriente.

La *onomatopeya* consiste en la imitación de sonidos o movimientos reales por medio de los sonidos o el ritmo de las palabras. Hay onomatopeya en vocablos como *guirigay*, *zumbido*, *siseo*, *tartajoso*, *zigzag*. Los poetas proporcionan a cada paso ejemplos tanto más felices cuanto menos forzados:

> En el silencio sólo se escuchaba
> Un *susurro* de abejas que sonaba.
>
> GARCILASO

La repetición de palabras es síntoma de interés o emoción: la reiteración fonética representa la insistencia o el énfasis. La retórica antigua daba a la repetición diversos nombres, según el lugar de la frase. Si ocurría al comienzo de varios miembros, se llamaba *anáfora*:

> *Por ti* el silencio de la selva umbrosa,
> *Por ti* la esquividad y apartamiento
> Del solitario monte me agradaba;
> *Por ti* la verde yerba, el fresco viento
> El blanco lirio y colorada rosa
> Y dulce primavera deseaba.
>
> GARCILASO

Reticencia es una interrupción de la frase iniciada, que al entrecortarse, revela agitación anímica, o deja entrever de modo insinuante lo que no llega a decir:

> Pero si acaso esas damas...
> Las de las blondas y encajes...
> Tal vez... si tú en tu delirio
> De mí olvidado... No sabes,
> Adán, de lo que es capaz
> una mujer por vengarse.
>
> ESPRONCEDA

Apóstrofe es la invocación, exclamación o pregunta dirigida con vehemencia a un ser presente o ausente, real o imaginario:

¿Y dejas, Pastor santo,
Tu grey en este valle hondo, escuro,
En soledad y llanto,
Y Tú, rompiendo el puro
Aire te vas al inmortal seguro?

FRAY LUIS DE LEÓN

La *prosopopeya* atribuye acciones o cualidades propias del hombre a otros seres animados o inanimados. Uno de los más bellos sueños de la poesía ha consistido en imaginar que la Naturaleza está dotada de alma y que entre ella y los humanos se establecen corrientes de intercambio sentimental. Así, Garcilaso se siente compadecido por la atención universal:

Con mi llorar las piedras enternecen
Su natural dureza y las quebrantan;
Los árboles parece que se inclinan;
Las aves que me escuchan, cuando cantan
Con diferente voz se condolecen
Y mi morir cantando me adivinan.

La *hipérbole* es una ponderación exagerada; a menudo se acompaña de comparaciones:

¿Ves el furor del animoso viento
Embravecido en la fragosa sierra,
Que los antiguos robles ciento a ciento
Y los pinos altísimos atierra,
Y de tanto destrozo aún no contento
Al espantoso mar mueve la guerra?
Pequeña es esta furia comparada
A la de Filis con Alcino airada.

GARCILASO

40

La *antítesis* contrapone dos ideas. Para marcar el contraste se suele acudir a la repetición de términos en las frases contrapuestas, a dar a éstas forma semejante o a establecer entre ellas alguna correlación externa:

> Ayer naciste y morirás mañana.
> Para tan breve ser ¿quién te dio vida?
> Para vivir tan poco estás lucida.
> Y para no ser nada estás lozana.
>
> GÓNGORA

La *interrogación* retórica es aquella que no se formula para averiguar algo ignorado ni como expresión espontánea de sorpresa. Fernando de Herrera se sirve de una interrogación para acentuar la idea de que los portugueses, conquistadores de las Indias orientales, son los vencidos en Alcazarquivir:

> ¿Son éstos, por ventura, los famosos,
> Los fuertes y belígeros varones
> Que conturbaron con furor la tierra,
> Que sacudieron reinos poderosos,
> Que domaron las hórridas naciones,
> Que pusieron desierto en cruda guerra
> Cuanto enfrena y encierra
> El mar Indo, y feroces destruyeron
> Grandes ciudades? ¿Dó la valentía?

La *perífrasis* o *circunlocución* no expresa la idea de modo directo, sino que la sustituye por un rodeo. En vez de «perlas», dice Góngora «las blancas hijas de las conchas bellas», y en lugar de «cisne»:

> ...Aquel ave
> que dulce muere y en las aguas mora.

Ironía es la indicación de una idea mediante la expresión de la contraria. Constituye el procedimiento más característico de la burla y del humorismo. La ironía

amarga o cruel se llama *sarcasmo*. El *Canto a Teresa*, donde
Espronceda llora la pérdida de sus ilusiones juveniles
y la muerte de su antigua amada, termina con esta estrofa:

> Gocemos, sí; la cristalina esfera
> Gira bañada en luz: ¡bella es la vida!
> ¿Quién a parar alcanza la carrera
> Del mundo hermoso que al placer convida?
> Brilla radiante el sol, la primavera
> Los campos pinta en la estación florida:
> Truéquese en risa mi dolor profundo...
> Que haya un cadáver más ¿qué importa al mundo?

La *paradoja* consiste en armonizar términos aparen-
temente contradictorios; una idea verdadera o razonable se disfraza tomando el aspecto de un contrasen-
tido:

> Pues se conforma nuestra compañía,
> No dejes, soledad, de acompañarme,
> Pues con tu ausencia y con desampararme
> Muy mayor soledad padecería.
>
> Hernando de Acuña

Los tropos

Las principales especies de tropos, a las cuales pueden
reducirse casi todas las demás, son la *sinécdoque*, la *metonimia* y la *metáfora*, cauces importantísimos de los cambios
semánticos, tanto en el lenguaje diario como en la poesía.

La *sinécdoque* transmuta el sentido de palabras, cuyos
conceptos guardan entre sí relación de mayor o menor
extensión conceptual. Así, da a entender: 1.º El todo
mencionando sólo la parte *(veinte abriles*, «veinte años»),
o viceversa *(Francia fue vencida en Pavía*, «los franceses»
o «el ejército francés»); 2.º El objeto mediante el nombre
de la materia *(el hierro*, «la espada»); 3.º Lo concreto

mediante lo abstracto *(«la ignorancia* es atrevida», «los ignorantes»)*; 4.º El plural mediante el singular *(el turco,* usual en nuestros clásicos por «los turcos» o «Turquía», etcétera). Caso especial de sinécdoque es la *antonomasia* que aplica una denominación general a un solo individuo u objeto: en la Edad Media *el filósofo* equivalía a «Aristóteles» y *el poeta* era «Virgilio»; por el *Apóstol, el Profeta,* entendemos «San Pablo» y «David».

La *metonimia* tiene por campo de acción las relaciones de causalidad o procedencia. Sustituye: 1.º La mención del efecto por la de la causa *(vivir de su trabajo,* «del producto de su trabajo»); 2.º La de la obra por la del autor («ha comprado dos *Grecos* y un *Velázquez»,* «tiene un *Plutarco* muy bien encuadernado»); 3.º La de la actividad por la del instrumento *(tener pluma fácil,* «escribir con soltura»); 4.º La de lo significado por la del signo («heredó el *trono»,* «la dignidad real»); 5.º La del producto por la del lugar de procedencia («una copa de *Málaga»,* «de vino de Málaga»), y 6.º La de la actividad psicológica por la del órgano corporal a que vulgarmente se atribuye («mientras el *corazón* y la *cabeza* batallando prosigan», «el sentimiento y la razón»), etcétera.

La *metáfora* opera con relaciones de semejanza: descubierto por la imaginación un parecido entre dos entes o fenómenos, el término exigible en sentido directo es reemplazado por el otro. Abunda en el vocabulario y fraseología usuales: *vástago* o *retoño,* «hijo», «ser *una alhaja»,* «vivir en una *balsa de aceite»,* «estar a la *sombra* de alguien», «*al morir* el día». En el lenguaje poético el papel de la metáfora es de extraordinaria importancia, según veremos en el capítulo siguiente.

VI

Imágenes y epítetos. El lenguaje poético

La imagen

Así como las matemáticas y la filosofía especulan con nociones abstractas o conceptos, lo propio del arte y, por tanto, de la literatura, es poner en juego imágenes creadas por la fantasía. Llámase *imagen* a toda representación sensible. Imagen poética es la expresión verbal dotada de poder representativo, esto es, la que presta forma sensible a ideas abstractas o relaciona, combinándolos, elementos formales de diversos seres, objetos o fenómenos perceptibles. Véase, por ejemplo, la imagen con que Rubén Darío presenta la idea de la muerte:

> ¡La Muerte! Yo la he visto. No es demacrada y mustia
> Ni ase corva guadaña, ni tiene faz de angustia.
> Es semejante a Diana, casta y virgen como ella;
> En su rostro hay la gracia de la núbil doncella
> Y lleva una guirnalda de rosas siderales;
> En su siniestra tiene verdes palmas triunfales,
> Y en su diestra una copa con agua del olvido;
> A sus pies, como un perro, yace un amor dormido.

O la sucesión de metáforas que sugiere a Juan Ramón Jiménez la gozosa rojez de la amapola:

¡Amapola, sangre de la tierra;
amapola, herida del sol;
boca de la primavera azul,
amapola de mi corazón!
¡Cómo ríes por la viña verde,
por el trigo, por la jara, por
la pradera del arroyo vivo,
amapola de mi corazón!
¡Novia alegre del corazón grana;
mariposa de carmín en flor;
amapola, grito de la vida,
amapola de mi corazón!

Las distintas variedades de imágenes poéticas eran
consideradas por la Retórica como otras tantas figuras
o tropos. El *símil* o *comparación* anota una semejanza,
rápidamente unas veces, otras deteniéndose con moro-
sidad en la descripción de lo equiparado:

¿Qué es nuestra vida más que un breve día
do apenas sale el sol cuando se pierde
en las tinieblas de la noche fría?
¿Qué más que el heno, a la mañana verde,
seco a la tarde? ¡Oh ciego desvarío!
¿Será que de este sueño me recuerde?

Epístola moral a Fabio

En toda comparación hay siempre dos términos;
uno es aquello de que se habla, y otro aquello con que
se compara. Ahora bien, si suprimimos el primero, el
símil se convierte en metáfora: en el lenguaje usual
la comparación *ser listo como un lince*, se reduce a la metáfora *ser un lince*. Por un procedimiento análogo, la poesía
elude a cada paso la mención del término real. Una
canción de Góngora nos podrá aleccionar:

De la florida falda
Que hoy de perlas bordó la alba luciente,
Tejidos en guirnalda

Traslado estos jazmines a tu frente,
    Que piden, con ser flores,
Blanco a tus sienes, y a tu boca olores.

    Guarda destos jazmines
De abejas era un escuadrón volante,
    Ronco, sí, de clarines,
Mas de puntas armado de diamante;
    Púselas en huida,
Y cada flor me cuesta una herida.

El *campo* ha sido reemplazado por la *florida falda;* cubrir de rocío, por *bordar de perlas; enjambre,* por *escuadrón volante; zumbido,* por *roncos clarines; aguijones,* por *puntas de diamante.* La mención directa de las cosas ha sido sistemáticamente evitada, poniendo en su lugar una interpretación poética de la realidad.

La metáfora posee rápida y vigorosa plasticidad; mientras la comparación mantiene frente a frente los dos términos relacionados, la metáfora los identifica, los funde en uno nuevo: al leer los versos gongorinos no podemos representarnos la pradera sino como una falda aljofarada; el vuelo enfurecido de las abejas se nos figura ordenado ataque de un escuadrón belicoso, y en nuestra fantasía los aguijones adquieren dureza y brillo adamantinos. De igual modo, la amapola de Juan Ramón Jiménez es amapola, y a la vez herida, boca, risa, novia, mariposa y grito.

Cuando un conjunto de elementos figurativos usados con valor traslaticio guarda paralelismo con un sistema de conceptos o realidades, lo llamamos *alegoría.* En toda alegoría hay un sentido *aparente* o *literal,* y otro más profundo, que es el *alegórico.* La justicia, por ejemplo, suele representarse en figura de una mujer que tiene en una mano la espada y en la otra una balanza: el sentido aparente está constituido por las imágenes de mujer, balanza y espada; el sentido alegórico es el de virtud, que de una parte supone equidad, y de otra, severidad.

47

La Edad Media fue muy aficionada a la alegoría, que encontró su más grandiosa creación en la *Divina Comedia*, de Dante. Después, nuestros místicos, especialmente Santa Teresa y San Juan de la Cruz, ofrecen ejemplos imperecederos.

La adjetivación. El epíteto

Uno de los rasgos más distintivos del lenguaje literario es el aprovechamiento de la adjetivación con fines artísticos, utilizando sus extraordinarias posibilidades descriptivas y caracterizadoras. La fuerza del estilo depende en gran parte de cómo se emplee el adjetivo: si es exacto, gráfico o sugerente, vigoriza el lenguaje; si no posee tales cualidades, produce impresión de vacuidad hinchada.

El adjetivo calificativo sirve unas veces para limitar la extensión del sentido. Al decir «los caminantes *viejos* se fatigan en las cuestas *empinadas*», excluimos a los caminantes de menos edad, e igualmente las pendientes suaves. Con este uso *especificativo*, la calificación es necesaria para el sentido de la frase, y no constituye por sí misma recurso artístico. Lo mismo ocurre cuando el adjetivo es predicado nominal («la sala era *espaciosa*»). Claro está que en ambos casos la elección acertada puede originar efectos estéticos.

El adjetivo lógicamente innecesario es el que ofrece mayor interés desde el punto de vista artístico. Como complemento predicativo, calificando al sujeto y modificando al verbo juntamente, equivale a descripciones condensadas y sirve para la rápida pintura de actitudes; «llegaba a mí *sofocado* y *continuo* el rumor de las fuentes»[1]; «la noche cae, *brumosa* ya y *morada*»[2]; «la vieja sonrió *agasajadora*»[1]. Unido directamente al sustantivo, recibe

---

[1] Valle-Inclán.
[2] Juan Ramón Jiménez.

el nombre de *epíteto*, y sirve para destacar aquellas cualidades que interesan al escritor en un momento dado. En la frase «los *solitarios* campos estaban cubiertos de *blanca* nieve», los adjetivos no tienen otro fin que el de colocar en primer plano la soledad y la blancura; sin calificaciones no padecería el sentido lógico, pero disminuiría el efecto imaginativo.

La cualidad destacada por el epíteto puede ser la más generalmente reconocida o estimada en el ser, idea u objeto designado por el sustantivo. La poesía grecolatina y su heredera del Renacimiento usaron preferentemente este género de epítetos. Se creía en la perfección de la Naturaleza: la poesía debía reflejarla pintando lo arquetípico, lo que en cada caso poseía en mayor grado la cualidad deseable: el adjetivo era, pues, la marca de perfección con que iba señalado cuanto entraba en terreno poético:

> Convida a *dulce* sueño
> Aquel *manso* ruido
> Del agua que la *clara* fuente envía.
> Y las aves sin dueño
> Con canto *no aprendido*
> Hinchen el aire de *dulce* armonía;
> Háceles compañía
> A la sombra volando
> Y entre varios olores
> Gustando *tiernas* flores
> La *solícita abeja susurrando.*
>
> G<small>ARCILASO</small>

Cada adjetivo es aquí un remanso de la contemplación admirativa. ante un mundo quintaesenciado. Pero cuando sin fervor personal el epíteto consagrado se repite insistentemente, pierde su virtud y se convierte en relleno farragoso.

La literatura moderna busca la adjetivación innovadora, fruto de hallazgo individual, más plástica muchas veces gracias a su apariencia caprichosa: «en sus manos de *ambiguos* príncipes decadentes»[1]; «se desgranan las luces *arcaicas* de las constelaciones»[2]; «y mirando en su torno la tarde tan *ancha...*»[2]. Con frecuencia la calificación contiene un rasgo descriptivo, rápidamente sorprendido: «el *azul* encorvamiento de la sierra de Gata»[3]; «el regruñir *candente, rojo* y *retorcido* de una piara furiosa»[2]. Otras veces es resultado de un símil o de una metáfora: «un bosque *magistral,* viejo *como deben ser los maestros, sereno y múltiple*»[3]. De Baudelaire y los simbolistas franceses provienen las correspondencias de sensación», esto es, la aplicación de términos propios de sensaciones visuales a las auditivas o viceversa, de sensaciones táctiles u olfativas a las visuales, y otras equiparaciones semejantes: «¡Salve al celeste sol *sonoro!*»[1]; «los *áureos* sonidos»[1]; «se ve el paisaje *oloroso*»[2].

El lenguaje poético

Los poetas han aspirado constantemente a poseer un instrumento expresivo más rico y flexible que el lenguaje normal. Bécquer hubiera querido, «con palabras que fuesen a un tiempo —suspiros y risas, colores y notas», dar forma al «himno gigante y extraño» que imaginaba. Este deseo y la tradición literaria actúan sobre el lenguaje poético, determinando en él hábitos especiales.

Entre las particularidades del lenguaje usual en la poesía, pueden destacarse las siguientes: 1.ª Notable abundancia de imágenes; 2.ª Presencia de voces no frecuentes en otros géneros de expresión culta, pero valiosas por su sonoridad, fuerza pictórica o prestigio: en el verso empezaron a abrirse camino, por ejemplo,

---

[1] Rubén Darío.
[2] Gabriel Miró.
[3] Ortega y Gasset.

diáfano, rubicundo, turbulento, nítido, fúlgido, esplendor, y muchos otros; 3.ª Empleo de giros sintácticos especiales, como el hipérbaton, necesario para acomodar las palabras a las exigencias del ritmo y de la rima, pero fomentado también por el ejemplo de la antigüedad: «su ganado a repastar» [1]; «del monte en la ladera» [2]; «a la sombra sentado / de un alto pino o roble» [3]; «las alas de su cuerpo temerosas» [4]; «las de mayo serenas alboradas» [5]; «en este que prosigo espacio incierto» [4]; 4.ª Persistencia de arcaísmos como *dó, cuán, aqueste, alrededor*, usados en nuestra poesía hasta el siglo XIX, siendo así que habían desaparecido del habla y eran raros en la prosa desde varias centurias antes, y 5.ª Metaplasmos o especiales alteraciones de la forma de las palabras, como diéresis y sinéresis, aféresis, síncopas o paragoges, como el arcaizante *felice, infelice*. Los rasgos comprendidos en los tres últimos apartados se consideraban *licencias poéticas*, libertades permisibles a los poetas; de todas ellas sólo se toleran hoy moderadas trasposiciones en el orden de las palabras (Bécquer: «Volverán las oscuras golondrinas/ *de tu balcón sus nidos a colgar»;* Unamuno: «*de tu lumbre al abrigo»*).

Hay épocas en que el afán de independizar el lenguaje poético ha alcanzado particular intensidad. En nuestra literatura los momentos más característicos son el siglo XV y la poesía barroca. La poesía de nuestro siglo, sobre todo entre 1916 y 1930, ofreció asimismo pronunciada tendencia aristocrática; pero en vez de apoyarse en una tradición previa como era la grecolatina para los escritores del siglo XV o del Barroco, buscó en la metáfora original y atrevida el medio de expresar

---

[1] Gil Vicente.
[2] Fray Luis de León.
[3] Garcilaso.
[4] Herrera.
[5] Espronceda.

complejos estados espirituales o difíciles intuiciones. Por el contrario, en los últimos veinte años la poesía acoge expresiones del coloquio diario que en otro tiempo habrían parecido triviales o prosaicas.

VII

Estilística

El estilo : aspectos subjetivo y objetivo

Entre griegos y romanos la palabra *stylus* significaba el punzón de que se valían para escribir en tabletas enceradas. De aquí pasó a designar el conjunto de rasgos que individualizan la obra de un autor, escuela, época o género artístico, diferenciándola de las demás.

El estilo depende, en primer lugar, del artista mismo, cuya personalidad se revela en sus creaciones, imprimiéndoles sello peculiar, hasta el punto de que, sin habérsenos dicho quién es el autor, podemos reconocerle muchas veces por la huella inconfundible que ha dejado en sus obras. Por eso se ha dicho que el estilo es el hombre. Pero entre los artistas de una misma escuela se aprecian semejanzas de orientación, gusto y técnica; y a su vez las diversas escuelas que conviven en una misma época, dentro de iguales corrientes históricas, ofrecen, por encima de las divergencias, un conjunto de notas coincidentes: no hay sólo estilos individuales, sino también de escuela, generación y época.

Junto a estos factores subjetivos, procedentes del autor, de su orientación y de su tiempo, hay exigencias objetivas que dependen del carácter de la obra. Cada tipo de creaciones artísticas tiene que responder a un fin especial, lo que impone ciertas trabas a la libre exteriorización del estilo personal: no será exactamente igual el estilo de una poesía y el de un drama del mismo escritor.

Se aplican, pues, al estilo adjetivos referentes al autor (*homérico*, *cervantino*, *shakesperiano*, *gongorino*, *quevedesco*); a la escuela, tendencia o época artística (*culterano*, *conceptista*, *clásico*, *renacentista*, *barroco*, *neoclásico*, *romántico*); y, finalmente, al género de la obra (*poético*, *lírico*, *oratorio*, etc.). Claro está que al llamar garcilasiano o quevedesco el estilo de una obra no escrita por Garcilaso o Quevedo, indicamos ya que se trata de una imitación; y al tildar de oratorio el estilo de un poema o de una novela, aludimos a su impropiedad.

Estilo, tono y lenguaje

Mientras el estilo comprende la totalidad del elemento personal infundido en la obra literaria, el *tono* es resultado de la postura espiritual que el autor adopta frente al asunto; así puede hablarse de tono solemne, majestuoso, patético, grave, familiar, festivo, burlesco, etcétera. Es de capital importancia la adecuación del tono a la índole de la obra: el tono solemne, aplicado a un asunto insignificante, es ridículo y sólo está justificado en el humorismo; en cualquier obra literaria de tipo esencialmente idealizador resulta chabacano el descenso a la familiaridad trivial; en cambio, el diálogo de una novela realista o de una comedia burguesa, necesita la viva espontaneidad del habla cotidiana para no incurrir en falsa afectación.

El *lenguaje* es la forma definitiva revestida por la obra. En relación con él, el estilo recibe calificaciones cuyo sentido conviene puntualizar: Se le llama *cortado* si domina la frase breve y nerviosa; *periódico* si, por el contrario, se emplean períodos, esto es, largas oraciones compuestas, abundantes en miembros distribuidos con miras al efecto sonoro, y *mixto* si se mantiene en un término medio. Por la mayor o menor condensación de la idea, el estilo es *conciso* cuando solamente usa las palabras imprescindibles y exactas; *ampuloso* o *difuso* si diluye la idea en amplificaciones innecesarias. Por último, según la parquedad o abundancia de imágenes, figuras y epítetos, será *llano*, *florido* o *pomposo*.

Educación del estilo

Concebido como forma individual de la fuerza creadora, el estilo es imposible de obtener artificialmente, lo mismo que la personalidad. Ahora bien, así como se puede fomentar el desarrollo de ésta, es dable también despertar y educar las facultades estilísticas. La disciplina inteligente beneficia a quienes poseen vigoroso temperamento artístico, malogrado frecuentemente sin ella; ayuda, llevada con prudencia, a descubrir y aprovechar las dotes naturales; y es imprescindible para cuantos pretendan hacerse con un estilo, ya que no propio y genial, a lo menos ágil, claro y limpio.

La lectura abundante, hecha con reposo y bien asimilada, sirve de estímulo a la imaginación y enriquece el caudal expresivo; la práctica de la composición, ejercitada constantemente, proporciona la necesaria soltura de pluma y acostumbra a vencer dificultades de expresión. De gran importancia es el estudio gramatical del idioma, así como el ejemplo de los buenos escritores; pero evitando siempre que el afán de corrección, extremado, ahogue la espontaneidad, y que la imitación servil haga degenerar en *manera* o amaneramiento artificioso el naciente estilo. Antes de empezar a escribir debe meditarse sobre la materia de que se va a tratar, a fin de puntualizar ideas; conviene asimismo trazar el plan que se ha de seguir. Cuídese luego que el tono corresponda al propósito y asunto, y que el lenguaje reúna las condiciones deseables, especialmente claridad, propiedad y vigor; mida cada cual sus posibilidades y no se deje atraer por recursos ornamentales que no estén a su alcance. Y después sométase lo escrito a cuidadosa autocrítica, limitando los defectos, pero sin incurrir en escrupulosidad tan nimia que comprometa el empuje y decisión necesarios.

La investigación estilística moderna

Hasta el siglo actual las observaciones sobre el estilo se limitaban a lo externo de las obras literarias, como si pudiera desligarse del contenido psíquico e ideológico. Pero, como ya se ha dicho, no se dan separadamente, sino compenetrados y fundidos: por eso todos los elementos de una obra artística lograda, desde los más profundos móviles que han estado presentes en el momento de concebir la idea inicial, hasta los más leves detalles de la expresión, todos guardan entre sí relación estrecha.

La interdependencia existente entre los elementos de la obra literaria es la base en que se asienta la estilística actual, que rastreando las manifestaciones de lenguaje, intenta penetrar hasta el fondo psicológico de que han brotado y reconstruir el proceso de la creación artística, descubriendo las rutas por las cuales ha discurrido. Tal investigación requiere, de una parte, hondo conocimiento de los fenómenos del lenguaje, y de otra, agudeza y despierto sentido artístico, a fin de poder compenetrarse con el espíritu de la obra que se analiza.

Esta estilística moderna no se limita a las creaciones literarias, sino que, tomando como campo de acción el lenguaje expresivo, trata de estudiar cuanto en el habla no es molde gramatical generalizado, sino reflejo inmediato de la vida individual. Más amplia aún es otra orientación de la estilística, encaminada a renovar desde sus cimientos la ciencia del lenguaje: en cada lengua va reflejada la especial manera de sentir e interpretar el mundo la comunidad que la habla; las lenguas son, por tanto, los estilos de los diferentes pueblos, ya que revelan lo más característico de sus respectivas mentalidades.

VIII

El ritmo en el lenguaje.
La prosa y el verso

El ritmo en el lenguaje

Ya se ha indicado que el *ritmo* es elemento esencial en las artes del tiempo. En griego *rhythmós* equivalía a «movimiento regulado y medido»; de este significado originario derivan las diversas acepciones actuales. Hay ritmo en la marcha, en la sístole y diástole del corazón, en las acompasadas flexiones de brazo del remador, en el funcionamiento de una máquina. Las artes del tiempo someten el ritmo natural a una elaboración más rigurosa: los movimientos de una danzarina o los sonidos de una obra musical están sujetos a distribución más exigente que la del ritmo espontáneo.

El ritmo del lenguaje es resultado de la intervención de diversos factores: la *cantidad* o duración de los sonidos articulados, el *tono* o altura musical con que se emiten, y la *intensidad* o energía espiratoria; estos elementos no siempre coinciden en los mismos sonidos o sílabas. Del predominio de unos u otros depende el carácter del acento en cada lengua: en griego y latín clásicos el acento era cuantitativo-musical, mientras que en las lenguas germánicas y romances es de intensidad. En español, como idioma románico, la mayor fuerza espiratoria es el principal realce de la sílaba acentuada. Ésta se distingue también, en palabras sueltas, por su tono más

57

alto; pero dentro de la frase la entonación particular de cada palabra se diluye en la del conjunto. Por lo que respecta a la cantidad, aunque sonidos y sílabas tienen su duración privativa, experimentan alteraciones en la frase, alargándose o abreviándose según la posición que ocupen respecto a los acentos y pausas.

El discurso, esto es, la sucesión de palabras que empleamos para expresarnos, está dividido por pausas, exigidas por el sentido de la frase y por las necesidades fisiológicas de la respiración. Cada porción de discurso comprendida entre dos pausas constituyen un *grupo fónico*. La longitud de estos grupos es muy variable, pero con preferencias características en cada idioma: en español abundan especialmente los grupos de seis a nueve sílabas, que reúnen casi la mitad del total; dentro de ellos, los más favorecidos son los de siete y ocho sílabas.

El grupo fónico es la principal unidad de entonación. Durante él el tono de voz sigue una curva melódica, distinta según el carácter de la frase. Esa curva comienza con una nota grave, elevándose gradualmente hasta llegar al primer acento, en el cual alcanza el nivel medio en que, con ligeras oscilaciones, se mantiene la parte central del grupo; pero desde la última sílaba acentuada el tono se eleva o desciende, indicándonos de este modo si la frase está acabada o no, y si se trata de una aseveración, pregunta, ruego, mandato, etc. En esto consiste el valor significativo de la melodía. Véase en el siguiente párrafo la división en grupos fónicos en una lectura normal: las rayas verticales indican las pausas; con doble raya se señalan las pausas mayores, y debajo de cada grupo va el correspondiente esquema de la entonación:

Los domingos se oía desde una ventana | el armonium de un

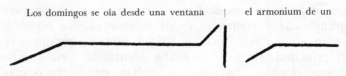

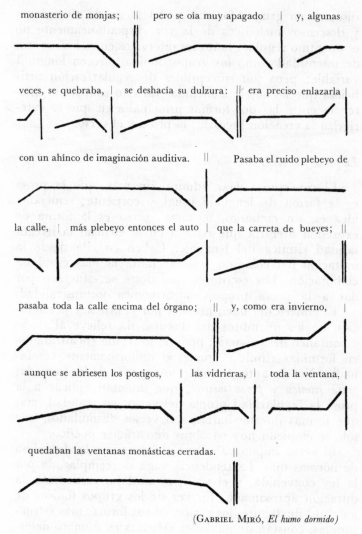

monasterio de monjas; ‖ pero se oía muy apagado │ y, algunas veces, se quebraba, │ se deshacía su dulzura: ‖ era preciso enlazarla │ con un ahínco de imaginación auditiva. ‖ Pasaba el ruido plebeyo de la calle, │ más plebeyo entonces el auto │ que la carreta de bueyes; ‖ pasaba toda la calle encima del órgano; ‖ y, como era invierno, │ aunque se abriesen los postigos, │ las vidrieras, │ toda la ventana, │ quedaban las ventanas monásticas cerradas. ‖

(Gabriel Miró, *El humo dormido*)

Resumamos la exposición anterior: el ritmo del lenguaje resulta, en español, de los acentos de intensidad que jalonan las sílabas fuertes, de la repartición del discurso en grupos fónicos, y del juego de elevaciones y descensos melódicos de la voz. Espontáneamente no es un ritmo regular: tanto los intervalos entre los acentos de intensidad como los grupos fónicos ofrecen longitud variable; pero son susceptibles de regularización artificiosa que los sujete a medida. En esto consiste la diferencia entre las dos formas principales en que se exterioriza la creación literaria: la prosa y el verso.

La prosa y el verso

El concepto vulgar admite, sin más, que la prosa es la forma de lenguaje usual y corriente; semejante idea es, sin embargo, inexacta: prosa es la forma de expresión literaria que respeta en lo esencial la irregularidad rítmica del lenguaje. Caben en ella desde la imitación del coloquio familiar hasta la más estudiosa elaboración. Los escritores cuidadosos se esfuerzan por dar a la prosa proporción armónica y musicalidad.

El esmero del buen prosista por el orden y ponderación de los miembros del discurso da relieve al ritmo espontáneo del lenguaje; pero no lo regula encauzándolo en fórmulas rítmicas iguales o uniformemente combinadas. No obstante, abundan los ensayos de las llamadas *prosa rítmica* y *prosa métrica*, que intentan aplicar a la prosa la regularidad propia del verso; en realidad, más que formas intermediarias, son versos disimulados, que sólo se emplean hoy en obras de carácter poético.

El verso impone al ritmo del lenguaje la disciplina de normas fijas. La tendencia vaga es reemplazada por la ley convenida, y el *metro*, la medida, sustituye a la duración aproximada. En vez de los grupos fónicos de longitud fluctuante, los versos, en sus formas más estructuradas, constan de unidades métricas en número determinado para cada clase, y las sílabas fuertes tienen señalados sus puestos, regulándose el ritmo acentual. Es cierto que el grado y carácter de las exigencias del verso, varía según épocas y escuelas; ya veremos que hasta el metro mismo puede no ser indispensable. Pero contrariamente a lo que ocurre en la prosa, el rigor métrico no desagrada en el verso: sentimos que está a tono con el carácter idealizador de la poesía y admitimos sin dificultad su distanciamiento del habla cotidiana.

Suele sostenerse que la prosa es la forma de expresión adecuada para conceptos y razonamientos, y, por tanto, para la exposición científica o doctrinal, mientras que el verso pide un contenido de imágenes y afectos. Tales son las notas dominantes; pero hay posibilidad de exponer concepto en verso, como lo demuestra la existencia de poemas didácticos; y de otra parte la prosa aparece frecuentemente engalanada con elementos poéticos.

IX

Sistemas de versificación

El paralelismo

Las distintas concepciones del ritmo y las diversas maneras de reforzarlo y regularizarlo dan lugar a diferentes sistemas de versificación.

La expresión del pensamiento es susceptible de distribución simétrica en miembros que se correspondan. Así surgen multitud de formas de correlación y reiteración que pueden darse tanto en la prosa como en el verso. Interesan especialmente el *paralelismo sinonímico*, sucesión de frases de corte semejante y sentido análogo, y el *paralelismo antitético*, en que se contraponen frases de forma similar. Los dos son de uso constante en los poemas bíblicos. Algunos fragmentos traducidos podrán dar idea de lo que es este paralelismo de sentido, tan característico de los textos sagrados:

Paralelismo sinonímico:

Sálvame Dios mío, de mis enemigos; líbrame de los
  que me asaltan.
Sácame del poder de los que obran inicuamente; y
  libértame de esos hombres sedientos de sangre.
Porque he aquí que se han hecho dueños de mi vida;
  arremeten contra mí hombres de gran fuerza.

SALMO LVIII

63

Paralelismo antitético:

Donde hay soberbia, allí habrá ignominia; mas donde
hay humildad, habrá sabiduría.
La sencillez servirá como de guía a los justos; y la doblez
acarreará a los pecadores su perdición.
Nada servirán las riquezas en el día de la venganza;
mas la justicia librará de la muerte.

(*Proverbios*, Cap. xi)

En la poesía tradicional gallego-portuguesa de la
Edad Media fue rasgo de capital importancia el paralelismo sinonímico, combinado con el uso de versificación acentual o silábica, estrofa y estribillo; la sinonimia
era repetición con leves variantes:

Digades, filha, ma filha velida
¿Por qué tardastes na fontana fría?
—¡Os amores ey!—
Digades, filha, ma filha louçana
¿Por qué tardastes na fría fontana?
—¡Os amores ey!

Sin ajustarse a cánones tan estrechos ni constituir
por sí solo procedimiento fundamental de la versificación, el paralelismo aparece en todas las literaturas
y en todos los tiempos, como recurso lírico de perenne
eficacia.

La aliteración

Mientras el paralelismo actúa sobre los elementos
intelectivos del leguaje, para producir, distribuyéndolos,
la emoción estética, la *aliteración* es un refuerzo puramente
físico del ritmo: consiste en la repetición de una consonante o un grupo consonántico dentro del verso. La
aliteración abunda en los más antiguos poetas latinos,
como resto de una costumbre primitiva; todavía Virgilio la empleó, si bien raras veces:

Tityre, tu patulae recubans sub tegmine fagi...
...Sola mihi talis casus Cassandra canebat...

Pero donde la aliteración tuvo mayor desarrollo fue entre los primitivos escandinavos, germanos y anglosajones. Los rudos versos de estos pueblos bárbaros marcaban con ella sistemáticamente las sílabas fuertes. En la poesía española escasea la aliteración: se encuentra, con propósito imitativo, en onomatopeyas, como la citada en la página 39. Otras veces aparece como lujo ornamental:

Nin finjas lo falso nin furtes estoria.

(Juan de Mena)

...Y es el mágico pájaro regio
que al morir rima el alma en un canto.

(Rubén Darío)

Versificación cuantitativa

Se basaba en la cantidad o duración de sonidos y sílabas. Es el sistema propio de las literaturas clásicas, griega y latina. Las dos lenguas distinguían las vocales y sílabas largas de las breves. En el verso se admitía como principio fundamental que la duración de una sílaba larga equivalía a la de dos breves.

Las sílabas se agrupaban en *pies,* unidades métricas que recibían distintos nombres, según su estructura. El pie bisílabo formado por dos sílabas largas se llamaba *espondeo;* el de larga y breve, *troqueo;* el de breve y larga, *yambo,* y el de dos breves, *pirriquio.* De los pies trisílabos, los más frecuentes eran *dáctilo,* con una sílaba larga seguida de dos breves; el *anapesto,* con los mismos elementos en orden inverso, y el *anfíbraco,* con la segunda sílaba larga y breves las otras dos. Había pies compuestos tetrasílabos y pentasílabos.

Los versos estaban constituidos por determinadas combinaciones de pies. Por ejemplo, el *hexámetro*, propio de la poesía heroica, constaba de seis pies: los cuatro primeros podían ser dáctilos o espondeos, el quinto siempre dáctilo, y el sexto espondeo o troqueo; no importaba el número de sílabas, sino la igualdad cuantitativa de los cinco pies iniciales.

Cuando, durante la época imperial romana, desapareció en el latín hablado la acentuación cuantitativa, borrándose las diferencias entre vocales largas y breves, la versificación clásica, basada en ellas, sufrió un golpe de muerte; en la Edad Media apenas sobrevivía en el recuerdo de algunos eruditos. Desde el Renacimiento la admiración por la antigüedad ha suscitado numerosos intentos de implantar los metros grecolatinos en las literaturas modernas. Las tentativas más logradas remedan con elementos acentuales de intensidad la disposición de los pies latinos, reemplazando las sílabas largas por fuertes, y las breves por débiles. Así en el «hexámetro» de Rubén Darío.

Ínclitas| rázas u| bérrimas,| sángre de His| pánia fe| cúnda

Versificación amétrica

En los albores de las literaturas romances, perdida ya la vigencia de los metros cuantitativos latinos, los primeros textos poéticos se valieron de una versificación caracterizada por su irregularidad. Únicamente la poesía francesa ofrece, desde los más antiguos monumentos conservados, una métrica precisa, con número fijo de sílabas para los versos.

En España, la versificación irregular es la forma habitual de los cantares de gesta y otros poemas juglarescos de los siglos xii al xiv. Los versos son de longitud variable y su fin va señalado por la rima. Conforme se acrecentaba la maestría de los versificadores, la primitiva irregularidad fue eliminada gradualmente. Desechada en la poesía culta, se refugió en la tradición popular, conservándose en cantares recogidos en los siglos xv al xvii:

Aguardan a mí:
nunca tales guardas vi

—

Salteóme la serrana
juntico al pie de la cabaña.

Aun hoy día las canciones populares conservan restos de vacilación, aunque ya domina la fijeza silábica; en este cantar salmantino se mezclan versos de ocho sílabas y nueve sílabas:

No son todas palomitas
las que pican en el montón,
no son todas palomitas,
que algunos palomitos son.

La poesía culta de los últimos cincuenta años practica la versificación libre, no sujeta a las exigencias de la medida. Los poetas quieren que sus versos no obedezcan a las normas externas impuestas por la costumbre, sino que se adapten al ritmo vago del pensamiento y a un sentido personal de la musicalidad. Despojada de ornamentos, la poesía atiende con preferencia al contenido de imágenes, sentimientos e ideas. Dado el fuerte individualismo que late en esta orientación versolibrista, el número de sus variedades es extraordinario. Véanse dos muestras, la primera con una reminiscencia de metro, manifiesta en una considerable proporción de versos de siete y algunos de once sílabas; la segunda, más radicalmente amétrica:

Nocturno soñado

   La tierra lleva por la tierra;
mas tú, mar,
llevas por el cielo.
¡Con qué seguridad de luz de plata y oro
nos marcan las estrellas
la ruta! —Se diría
que es la tierra el camino
del cuerpo,
que la mar es el camino
del alma—.
   Sí, parece
que es el alma la sola viajera
del mar, que el cuerpo, solo,
se quedó allá en las playas,
sin ella, despidiéndola,
pesado, frío, igual que muerto.
   ¡Qué semejante
el viaje del mar al de la muerte,
al de la eterna vida!

Juan Ramón Jiménez

Fragmento de «La selva y el mar»

   La espera sosegada,
esa esperanza siempre verde,
pájaro, paraíso, fasto de plumas no tocadas,
inventa los ramajes más altos,
donde los colmillos de música,
donde las garras poderosas, el amor que se clava,
la sangre ardiente que brota de la herida,
no alcanzará, por más que el surtidor se prolongue,
por más que los pechos entreabiertos en tierra
proyecten su dolor o su avidez a los cielos azules.

Vicente Aleixandre

Versificación acentual

Coincide con la versificación amétrica en no exigir número fijo de sílabas para los versos; pero los acentos de intensidad, periódicamente situados, marcan un ritmo bien perceptible. Es forma de versificación propia de poesía destinada al canto y la danza, con acompañamiento de instrumentos musicales. Veánse dos cantares anónimos del siglo XVI:

> De los álamos, vengo, mádre,
> de ver cómo los menéa el áire.
>
> ———
>
> Ventecíco murmuradór
> que lo gózas y andas tódo,
> haz el són con las hójas del ólmo,
> que se duérme mi lindo amór.

O éste, de Lope de Vega o recogido por él:

> Naranjítas me tira la niña
> en Valéncia por Navidád;
> pues a fé que si se las tíro,
> que se le hán de volvér azahár.

Nótese que en el primer cantar los dos versos tienen tres fuertes acentos rítmicos cada uno, pero el número de sílabas es distinto (nueve en el primero, diez en el segundo); sin embargo, para los efectos del canto ambos duraban igual, ya que el tiempo comprendido antes y después de los acentos era el mismo siempre, y a mayor número de sílabas correspondían notas más breves. De manera semejante se explica que en los ejemplos «Ventecico murmurador» y «Naranjitas me tira la niña» se mezclen versos de nueve y diez sílabas, con dos y tres acentos rítmicos.

La región peninsular donde muestra arraigo mayor la versificación acentual es el Noroeste: es típico el verso de gaita gallega, de tres o cuatro acentos rítmicos separados por una o dos sílabas débiles:

Fachendósa, reménda o refáixo
que o tes rachádo por ríba e por báixo;
por riba e por báixo, por báixo e por ríba:
fachendósa, reménda a mantílla.

_____

Hás de cantár â véira do río,
ô són das olíñas, no cámpo frolído.

El número de sílabas oscila entre diez y doce. Muy
semejante al verso de gaita gallega y derivado de él,
al parecer, es el que en la antigua poesía castellana fue
llamado *verso de arte mayor* y estuvo muy en uso desde
fines del siglo XIV hasta principios del XVI; tenía de diez
a trece sílabas y tres o cuatro acentos. Entre sus muchas
variedades, cuya mezcla en una misma composición
imprimía movilidad al ritmo, las dos más frecuentes
son el dodecasílabo y el endecasílabo de cuatro acentos
con intervalos de dos sílabas:

Amóres me diéron coróna de amores.

Dáme licéncia, mudáble Fortúna.

Pies acentuales y períodos prosódicos en el verso

Si la distribución de sílabas acentuadas y débiles
se regula, el verso queda dividido en unidades que han
recibido el nombre de *pies rítmicos* o *acentuales* y han
sido designados con términos procedentes de la métrica
grecolatina; en este caso tal nomenclatura no está apli-
cada a unidades de ritmo cuantitativo, como en la antigüedad, sino a combinaciones de sílabas fuertes y débiles.
Pero cuando de la teoría se pasa al análisis de los versos,
surgen multitud de dificultades, sobre todo por lo que
respecta a las sílabas iniciales y a las posteriores al último
acento. Por ejemplo, el endecasílabo de gaita gallega

ha sido clasificado por unos como anapéstico, eliminando de la distribución la sílaba primera (anacrusis):

Ví | las enté- | nas por mé- | dio quebrár.
Es | una bé- | lla y alé- | gre mañá- | na.
Tié- | ne por tém | plo un alcá- | zar marmó- | reo.

Otros, más justificadamente, lo llaman dactílico, empezando a contar desde el principio del verso:

Ví las en- | ténas por | médio que- | brár.
És una | bélla y a- | légre ma- | ñána.
Tiéne por | témplo un al- | cázar.
Tiéne por | témplo un al- | cázar mar- | móreo.

Pero en cualquiera de los dos cómputos hay que admitir que es indiferente la existencia de una, dos o ninguna sílaba después del último acento; si no, sólo serían buenos versos anapésticos los agudos, o buenos dactílicos los esdrújulos.

La pasión por el ritmo, desarrollada hasta su extremo en la poesía de fines del siglo XIX y comienzos del actual no sólo tanteó cuantos ritmos acentuales eran posibles en los versos regulares, sino que en muchos casos tomó como sistema la sucesión de unidades acentuales idénticas, sin asignar número fijo de ellas para los versos, muy variables en su longitud. La culminación de la tendencia fue obra de los modernistas hispanoamericanos. Célebre es el *Nocturno* de José Asunción Silva.

Una noche, |
una noche | toda llena | de murmullos, | de perfumes |
[y de músicas de | alas;
Una noche, |
en que ardían | en la sombra | nupcial y húmeda |
[las luciérnagas | fantásticas...

71

O la *Marcha triunfal*, de Rubén Darío:

¡Ya viene| el cortejo!
¡Ya viene el| cortejo!| Ya se oyen| los claros| clarines.
La espada| se anuncia| con vivo| reflejo;
Ya viene, o-| ro y hierro, el| cortejo| de los pa-| la-
⌈dines.
Ya pasa| debajo| los arcos| ornados| de blancas|
⌈Minervas| y Martes,
los arcos| triunfales| en donde⌈ las famas| erigen|
⌈sus largas| trompetas,
La gloria| solemne| de los es-| tandartes
Llevados| por manos| robustas| de heroicos| atletas...

Versificación silábica o isosilábica

Es el sistema basado en un número fijo de sílabas
y una disposición acentual regulada para cada tipo
de verso. Las literaturas francesa y provenzal la emplean
desde los primeros textos conservados; domina en la
poesía latina medieval y se impone muy pronto en Italia.
En España se jactan de usarla, en el siglo XIII, los poetas
del *mester de clerecía*, nuestra primera escuela literaria
erudita; luego va extendiéndose en la poesía cortesana,
y más tarde en la popular, a costa de las formas amé-
tricas y acentuales no silábicas. La versificación regular
de las lenguas romances descansa sobre el principio del
isosilabismo.

X

El verso regular español.
La rima. Estrofa y verso

Cómputo de sílabas en la poesía

Al medir un verso se cuentan tantas sílabas como
haya en la pronunciación real; cada sílaba fonética constituye una sílaba métrica. Esta regla sólo tiene una
excepción importante: después del último acento del
verso se cuenta siempre una sílaba más, y sólo una; por
tanto, si la palabra final es llana, no habrá diferencia
entre el cómputo fonético y el métrico; pero si es aguda,
su última sílaba valdrá por dos, y si es esdrújula, las
sílabas finales contarán como una. De este modo son
igualmente octosílabos un verso llano de ocho sílabas
fonéticas, uno agudo de siete y uno esdrújulo de nueve.

> Tú - me - mi - ra - rás - llo - ran - do.
> Vi - vo - sin - vi - vir - en - mí.
> So - ñar - con - son - ri - sas - plá - ci - das.

Si en el resto del verso hay equivalencia entre sílabas
fonéticas y métricas, no siempre coinciden con las sílabas
gramaticales, a causa de la *sinalefa* o enlace de dos vocales
situadas una al final de una palabra y otra al comienzo
de la palabra siguiente; por ejemplo, en la frase «diera
alfombras orientales» las sílabas -*ra* y *al*- se funden en

una sola en la pronunciación, y cuentan como una en el verso. La sinalefa puede soldar dos vocales iguales («*sobre el* - cue - llo - de - cris - tal», ocho sílabas métricas; «*do o* - sé - mi - rar - del - sol - *la ar* - dien - te - lum - bre», once); dos vocales diferentes («Pu - *ra, en* - cen - di - da - ro - sa», siete; «Cuan - *do en* - a - ques - te - va - *lle al* - fres - co - vien - to», once); y grupos de tres, cuatro y hasta cinco o seis vocales, con tal de que estén dispuestas en orden de progresiva abertura, de progresiva estrechez, o con las más abiertas en el centro (« Y o - ro - de - su - ca - be - llo - *dio a* - tu - fren - te», once; «Sa - le - *la au* - ro - ra - de - su - fér - til - man - to», once; «Fu - nes - ta - ce - gue - dad, - de - li - *río in* - sa - no», «El - ne - *cio au* - daz - de - co - ra - zón - de - cie - no», once).

La sinalefa no constituye una libertad poética; se da en el verso con la misma espontaneidad que en el habla corriente. Lo antinatural sería reemplazarla sistemáticamente ccn el *hiato* o pronunciación disílaba de vocales contiguas. Sólo en los primeros tiempos de la métrica regular, cuando los poetas tenían por gran artificio escribir «a sílabas contadas», medían con arreglo a la separación gramatical; Gonzalo de Berceo (siglo XIII) escande siempre sus versos con hiato: «El - que - *a* - mí - can - ta - va - la - mi - ssa - ca - da - dí a,/Tú - tu - vist - que - fa - cí - a - ie - rro - d*e e* - re - sí - a.»

No es obstáculo para la sinalefa el que entre las vocales se interponga una *h*, ya que esta letra es mero signo ortográfico, sin sonido alguno, en la lengua moderna: «Un - tiem - *po ho* - lla - ba - por - al - fom - bra - ro - sas -» (Gertrudis G. de Avellaneda). Ahora bien, hasta el siglo XVII la *h* procedente de *f* inicial latina se aspiraba en muchas regiones como hoy en Extremadura y Andalucía, con lo que no se verificaba la sinalefa («Cu - bra - de - nie - ve - *la* - *her* - mo - sa - cum - bre», once sílabas, Garcilaso); pero ya entonces abundaban los casos de *h* muda («Y - vis - te - *de her* - mo - su - ra y - luz - nou - sa - da», once sílabas, Fray Luis de León).

Se dice que hay *sinéresis* cuando vocales contiguas interiores de palabra que de ordinario están en hiato, aparecen reducidas a una sola sílaba: en el verso de Espronceda «*aérea* como dorada mariposa» la palabra *aérea* cuenta sólo dos sílabas, gracias a dos sinéresis.

La diéresis consiste en escandir las vocales de un diptongo pronunciándolas con hiato (pie-*e*-dra, *su*-erte, por pi*e*-dra, su*er*-te). Claro está que es legítimo preferir el hiato al diptongo, si así conviene para el metro o la rima, cuando las dos formas de dicción están admitidas: siendo posible elegir entre *su - a - ve, ru - i - na, ru - i - do* y *sua - ve, ruí - na, ruí - do*, no puede llamarse diéresis al uso de las primeras, muy abundante en poesía («Ay sabrosa ilusión, sueño *su - a - ve*», Gutierre de Cetina; «Mil sombras nobles de su gran *ru - i - na*», Rodrigo Caro; «Con un manso *ru - i - do*», Garcilaso). Tampoco son artificiales las escansiones antiguas *pi - e - dad, ju - i - cio*, voces que fueron trisílabas hasta el siglo XVII en el lenguaje diario. Por latinismo se encuentran en textos medievales y renacentistas *o - ra - ci - ón, ci - en - cia, vic - to - ri - o - so, o - ri - en - te*, inaceptables hoy. Tanto para la sinéresis como para la diéresis conviene tener presente que el verso no debe deformar la pronunciación correcta, y que cuantas violencias se cometan contra ella revelan inhabilidad en el poeta.

Distribución del discurso en los versos

Cada verso está separado del siguiente por una pausa. No por eso hace falta que los versos sean unidades independientes en cuanto al sentido: con gran frecuencia corresponden en parte a una frase y en parte a otra; las pausas lógicas señalan la repartición. Analícese la correspondencia entre frases y versos en el siguiente pasaje:

Sé que negáis vuestro favor divino
A la cansada senectud, y en vano
Fuera implorarle; pero en tanto, bellas
Ninfas del verde Pindo habitadoras,
No me neguéis que os agradezca humilde
Los bienes que os debí. Si pude un día
No indigno sucesor de nombre ilustre,
Dilatarle famoso, a vos fue dado
Llevar al fin mi atrevimiento. Sólo
Pudo bastar vuestro amoroso anhelo
A prestarme constancia en los afanes
Que turbaron mi paz, cuando insolente
Vano a saber, enconos y venganzas,
Codicia y ambición, la patria mía
Abandonaron a civil discordia.

Leandro Fernández de Moratín

Suele evitarse que el artículo, el posesivo adjetivo, ciertos pronombres, las preposiciones y ciertas conjunciones queden en verso distinto de aquel donde van las palabras a que están ligados sintácticamente; por eso no es frecuente que aparezcan en final de verso. Sin embargo, hay excepciones:

Cazaba águilas al vuelo,
Lobos, *y*
En la guerra iba a la guerra
Contra mil.

Rubén Darío

Escasísimas veces se da la partición de una palabra entre dos versos; no obstante, Fray Luis de León y otros poetas del siglo xvi separan alguna vez los dos elementos de un adverbio compuesto:

...Y mientras *miserable*
Mente se están los otros abrasando...

Disposición acentual y nomenclatura de los versos castellanos

Muy importante es en la métrica silábica el papel de los acentos, pues de ellos depende el ritmo del verso. Como leyes generales se señalan dos: 1.ª) Todo verso lleva acento rítmico en la penúltima sílaba métrica; 2.ª) Los acentos rítmicos no pueden caer en sílabas consecutivas. Ordinariamente los metros cortos llevan un solo acento rítmico, el de la penúltima sílaba; su brevedad hace innecesaria la regulación de los demás acentos. Pero ya en el octosílabo las variedades de estructura acentual son muy notables y en el eneasílabo y versos más largos dan lugar a tipos rítmicos tan inconfundibles que a veces no pueden mezclarse en una misma composición; la colocación de los acentos divide el verso en rítmicos bien perceptibles. Por esa razón se justifica la división de los versos castellanos en dos grandes grupos, que se llaman *de arte menor* los versos de dos a ocho sílabas, y *de arte mayor* los de nueve en adelante.

Los versos largos suelen estar compuestos de dos cortos, llamados *hemistiquios* o *pies quebrados*, a los cuales separa una pausa o *cesura*. Lo más frecuente es que los hemistiquios sean iguales y la cesura central; pero en ocasiones se da también la división en miembros desiguales. Hay versos compuestos de tres o más miembros. Para el cómputo de sílabas finales de hemistiquio se siguen casi siempre las mismas normas que en final de verso, en este ejemplo de Rubén Darío:

> El mar como un vasto —cristal azogado
> Refleja la lá*mina*— de un cielo de zinc.

(Son hemistiquios hexasílabos; los del primer verso no ofrecen dificultad; pero en los del segundo «Refleja la lámina», con siete sílabas gramaticales, cuenta como seis por terminar en final esdrújulo; y las cinco sílabas fonéticas «de un cielo de zinc» valen seis sílabas métricas por ser aguda la última.)

No hay en español versos monosílabos, ya que la única sílaba de que fonéticamente constarían se cuenta como dos al ser aguda final de verso. Ejemplo de versos bisílabos:

> Leve
> Breve
> Son
>
> ESPRONCEDA

Versos de tres sílabas (trisílabos):

> Tal, dulce
> Suspira
> La lira
> Que hirió
> En blando
> Concento
> Del viento
> La voz.
>
> ESPRONCEDA

De cuatro sílabas (tetrasílabos):

> A una mona
> Muy taimada
> Dijo un día
> Cierta urraca:
> «Si vinieras
> A mi estancia
> ¡Cuántas cosas
> Te enseñara!»
>
> IRIARTE

De cinco sílabas (pentasílabos):

> Si los delfines
> Mueren de amores,

¡Triste de mí!
¿Qué harán los hombres
Que tienen tiernos
Los corazones?

Anónimo del siglo xvi

De seis sílabas (hexasílabos):

Frescos airecillos
Que a la primavera
Le tejéis guirnaldas
Y esparcís violetas.

Góngora

De siete sílabas (heptasílabos):

¡Cómo se van las hojas,
Y tras ellas los días,
Y los floridos años
De nuestra frágil vida!

Meléndez Valdés

De ocho sílabas (octosílabos):

Madre, unos ojuelos vi
Verdes, alegres y bellos.
¡Ay, que me muero por ellos
Y ellos se burlan de mí!

Lope de Vega

De nueve sílabas (eneasílabos):

Acento en la 2.ª, 5.ª y 8.ª sílabas:

Las madres contando batallas
Sentadas están al umbral.
Los niños se fueron al campo
La roja amapola a cortar.

Gabriela Mistral

Acentos en la 4.ª y 8.ª :

Va la manita en el teclado
Como si fuera un lirio alado
Lanzando al aire la canción,
Y con sonrisa placentera
Sonríe el viejo de gorguera
En los tapices del salón.

RUBÉN DARÍO

De diez sílabas (decasílabos):

Acento en la 3.ª, 6.ª y 9.ª :

¡Ay! —pensé— ¡cuántas veces el genio
Así duerme en el fondo del alma
Y una voz, como Lázaro, espera
Que le diga: «Levántate y anda!»

BÉCQUER

Hemistiquios pentasílabos:

Ha muchos años que busco el yermo
Ha muchos años que vivo triste,
Ha muchos años que estoy enfermo,
¡Y es por un libro que tú escribiste!

AMADO NERVO

De once sílabas (endecasílabos):

Propio o real; acento en 6.ª y 10.ª :

El dulce lamentar de dos pastores.
Salicio juntamente y Nemeroso,
He de cantar, sus quejas imitando.

GARCILASO DE LA VEGA

Sáfico; acento en la 4.ª, 8.ª y 10.ª :

¡Oh dulces prendas, por mí mal halladas,
Dulces y alegres cuando Dios quería!

GARCILASO DE LA VEGA

De gaita gallega; acento en la 4.ª, 7.ª y 10.ª:

Y con la gente morena y huraña
Que a los caprichos del aire se entrega,
Hace su entrada triunfal en España
Fresca y riente la música griega.

RUBÉN DARÍO

De doce sílabas (dodecasílabos):

Hemistiquios iguales; acento en la 2.ª, 5.ª, 8.ª y 11.ª:

En tanto don Félix a tientas seguía,
Delante camina la blanca visión,
Triplica su espanto la noche sombría,
Sus hórridos gritos redobla aquilón.

ESPRONCEDA

Hemistiquios iguales; acento en la 5.ª y 11.ª sólo:

Era un aire suave de pausados giros:
el hada Harmonía ritmaba sus vuelos.
E iban frases vagas y tenues suspiros.
Entre los sollozos de los violoncelos.

RUBÉN DARÍO

Hemistiquios de 7 y 5 sílabas (verso de seguidilla):

Rima con las verbenas tu seda fina
Y tus lindos caireles con la albahaca
De la reja con flores, eres cortina;
Del amor que reposa eres la hamaca.

SALVADOR RUEDA

Tripartitos; miembros tetrasílabos:

Hoy las huecas armaduras en que un día
Los heroicos corazones palpitaban,
Son apenas un tumulto de recuerdos...

JOSÉ SANTOS CHOCANO

De trece sílabas (tredecasílabos):

Yo palpito tu gloria mirando sublime,
Noble autor de los vivos y varios colores;
Te saludo si puro matizas las flores;
Te saludo si esmaltas fulgente la mar.

GERTRUDIS GÓMEZ DE AVELLANEDA

De catorce sílabas con hemistiquios iguales (tetradeca-
sílabos o alejandrinos):

Alejandrino común; acento en la 6.ª y 13.ª:

¡Campo recién florido y verde, quién pudiera
Soñar aun largo tiempo en esas pequeñitas
Corolas azuladas que manchan la pradera,
Y en esas diminutas primeras margaritas!

ANTONIO MACHADO

Acento en la 3.ª, 6.ª, 10.ª y 13.ª:

La princesa está triste..., ¿qué tendrá la princesa?
Los suspiros se escapan de su boca fresa
Que ha perdido la risa, que ha perdido el color.

RUBÉN DARÍO

De quince sílabas (pentadecasílabos):

Acento en la 2.ª, 5.ª, 8.ª, 11.ª y 14.ª sílabas:

¡Los bárbaros, Francia! ¡Los bárbaros, cara Lutecia!
Bajo áurea rotonda reposa tu gran paladín.
Del cíclope al golpe, ¿qué pueden las risas de Grecia?
¿Qué pueden las Gracias, si Heracles agita su crin?

RUBÉN DARÍO

Tripartitos; miembros pentasílabos:

Amanecía: tras el misterio de las neblinas
Se vio a lo lejos la poderosa flota sultana

Como un pasmado volar de ingentes aves marinas,
Partiendo en plata la raya de oro de la mañana.

Tomás Morales

De dieciséis sílabas, con hemistiquios octosílabos:

Se ha asomado una cigüeña a lo alto del campanario.
Girando en torno a la torre y al caserón solitario,
Ya las golondrinas brillan. Pasaron del blanco invierno
De nevascas y ventiscas los crudos soplos de infierno.

Antonio Machado

De diecisiete sílabas (7 + 10):

En la tranquila noche mis nostalgias amargas sufría.
En busca de quietud bajé al fresco y callado jardín.
En el oscuro cielo Venus bella, temblando, lucía
Como incrustado en ébano un dorado y divino jazmín.

Rubén Darío

Observaciones sobre el octosílabo, el endecasílabo y el alejandrino

Ningún verso de arte menor iguala en difusión y popularidad al octosílabo: de él se valió y sigue valiéndose la poesía tradicional para cantar hechos históricos, legendarios y novelescos; lo han cultivado con esmero los poetas cultos; ha sido el metro principal del teatro clásico español, y la canción popular lo viene empleando desde los orígenes de nuestra literatura.

El endecasílabo es el metro más importante de la versificación mayor española. Su variedad peninsular más antigua es la de gaita gallega (véase pág. 81), que alternaba con el dodecasílabo en el viejo verso acentual de arte mayor. Ya en el siglo xv hubo intentos de aclimatar el endecasílabo italiano; pero no logró arraigo hasta que a partir de 1526 lo cultivaron Juan Boscán y Garcilaso de la Vega; entonces tuvo pleno éxito el lla-

83

mado real o propio, con acento en la sexta sílaba («Rayaba de los móntes el altura»), así como el que lo llevaba en la cuarta, especialmente el *sáfico*, con otro acento en la octava («El blanco lírio y coloráda rosa»); abundan, sin embargo, los endecasílabos que carecen de ese acento auxiliar en la octava, no imprescindible en la métrica italiana («Libre el lugár a la desconfianza»). En Boscán, Garcilaso y otros poetas de su tiempo no es raro encontrar endecasílabos con acento en 4.ª y 7.ª («Tus claros ójos ¿a quién los volviste?»), disposición que, tolerada en Italia, coincidía con la del verso de arte mayor, familiar a nuestros escritores; pero este uso fue pronto repudiado, y el endecasílabo dactílico quedó proscrito hasta que Rubén Darío lo desenterró, usándolo ora solo, ora mezclado con los de otros tipos.

El alejandrino, verso clásico de la literatura francesa, tuvo durante el período arcaico de la nuestra un brillante florecimiento en los poemas del mester de clerecía; ya lo empleó Gonzalo de Berceo, nuestro primer poeta de nombre conocido, y siguió en boga hasta fines del siglo XIV. Son contadas las veces que aparece en la poesía clásica; en el siglo XVIII aumentan los ejemplos, y después Zorrilla lo difunde con célebres y altisonantes estrofas. El retorno definitivo ocurre con Rubén Darío, quien al rehabilitarlo tiene presente el modelo francés, sobre todo el de Víctor Hugo, pero no olvida el de Berceo, que rememora diciendo:

> Amo tu delicioso alejandrino
> Como el de Hugo, espíritu de España;
> Éste vale una copa de champaña
> Como aquél vale «un vaso de bon vino».

La rima y sus clases

Se entiende por *rima* la igualdad de sonidos finales entre dos o más versos a partir de la última vocal acentuada. La poesía grecolatina desconoció el uso de la

84

rima. En tanto subsistió con plenitud de vida el sistema de versificación cuantitativa, los casos de rima son raros; eran un recurso ornamental de escasa importancia. Pero al aparecer las literaturas romances, la rima es ya procedimiento general, asonante en las formas primitivas, consonante en las más cuidadas.

Si la igualdad se limita a las vocales, la rima es *asonante* o imperfecta; si alcanza a todos los sonidos, tanto vocales como consonantes, recibe el nombre de rima *consonante* o perfecta. No significa esto que la asonancia sea estéticamente inferior a la consonancia; como no repite exactamente las mismas terminaciones, puede usarse en largas series donde la consonancia fatigaría; además permite mayor holgura a la expresión y es rica en efectos de vaguedad lírica. En cambio, la consonancia es más rigurosa y supone mayor elaboración.

Para el reconocimiento de la rima asonante hay que tener en cuenta las siguientes normas: 1.ª) No importa que se deslicen algunas consonancias, sobre todo si no van seguidas: *pena, deja, seca, alerta, reja* pueden sucederse en los finales de verso de una serie asonantada, sin que sea obstáculo la consonancia *deja-reja.* 2.ª) Si los versos son agudos, basta la igualdad de la vocal acentuada: *calzar, pan, cendal, gran, ciudad.* 3.ª) En los diptongos y triptongos sólo hay que atender a la vocal, no a las semivocales y semiconsonantes: *riman, pues, madre* y *aire; causa* y *gala; tierra, reina, cuenta,* y *estrellas; paz* y *escucháis; tranquila* y *podríais; vendré* y *averigüéis; mayor* y *estoy; lino* y *tibio.* 4.ª) En las palabras esdrújulas es indiferente la vocal postónica; sólo intervienen para la asonancia las vocales acentuada y final: son buenos asonantes *pálido, vano, sagrado* y *áureo,* pero no *pálido* y *tímido* o *río,* ni *áureo* y *etéreo* o *pleno.* 5.ª) Por último, las vocales *u, i* situadas en final de palabra llana o esdrújula se equiparan respectivamente a *o* y *e:* *bebe, muere, tenue, hiere* pueden rimar con *débil, fértil;* y *liso, vivo* con *ímpetu, virus.*

No apuréis de la rosa
Cuando el rubio sol na*ce*,
Las perlas de que el alba
Llenó su tierno *cáliz*.

Meléndez Valdés

La igualdad exigida para la rima consonante es de
sonidos, fonética; no de letras, gráfica. Por tanto, pueden
rimar perfectamente *lava* y *acaba*, *cogen* y *arrojen*. Suele
recomendarse huir de las rimas demasiado fáciles de
encontrar, como *-aba*, *-ando*, *-endo*, *-ado*, *-ido*, *-ara*, *-ase*,
-era, *-ese*, *-ía*, que por figurar en desinencias gramaticales
resultan inagotables. También está aconsejado evitar
que dos consonancias inmediatas sean asonantes entre
sí, porque la semejanza general borra el contraste que
debe ayudar a hacerlas perceptibles. En el siglo xvi no
siempre era observada esta regla, como se advierte en
la siguiente estrofa de Fray Luis de León:

Un no rompido sue*ño*,
Un día puro, alegre, libre qui*ero*;
No quiero ver el c*eño*
Vanamente sev*ero*
De quien la sangre ensalza o el din*ero*.

Igualmente perturban el efecto de la rima las aso-
nancias entre el final del verso y palabras situadas en el
interior; pero a veces no se producen por descuido, sino
estudiadamente, para sacar partido de ellas: en la *Leta-*
nía a nuestro señor Don Quijote, de Rubén Darío, las rimas
interiores contribuyen a dar al verso apariencia de sal-
modia litúrgica:

Ruega, gener*oso*, piad*oso*, orgull*oso*;
Ruega casto, puro, celeste, anim*oso*;
Por nos intercede, suplica por nos.

La rima, compañera eficaz del ritmo y valiosa gala del verso, es un medio, pero nunca debe ser un fin en la poesía. El sacrificio del sentido a la necesidad de hallar consonante, y la vacua hojarasca palabrera son peligros que acechan a los rimadores. No es tampoco imprescindible: de igual modo que en la literatura grecolatina no se hizo uso de ella, existen en la española versos carentes de rima *(sueltos, libres* o *blancos)*, que más adelante estudiaremos.

Agrupaciones de versos. Estrofa y serie

Los versos pueden estar reunidos formando *series*, esto es, sucesiones homogéneas indefinidas, o bien constituir *estrofas*, combinaciones de estructura determinada, que generalmente se repiten de modo igual en toda la composición o fragmento. Se llaman *parisílabas* las agrupaciones en que los versos son todos de igual medida, e *imparisílabas* cuando son de medidas diferentes.

XI

Estrofas parisílabas de rima consonante

Estrofas de dos versos

Reciben el nombre de *pareados*. En nuestra literatura no se suelen emplear como estrofa independiente, sino como parte de otras agrupaciones más complicadas. Por influjo francés aparecen las series de pareados en poemas juglarescos españoles de la Edad Media, en el siglo XVIII y en nuestros escritores modernos:

A	Cuenta Barbey en versos que valen bien su prosa
A	Una hazaña del Cid, fresca como una rosa,
B	Pura como una perla. No se oyen en la hazaña
B	Resonar en el viento las trompetas de España,
C	Ni el azorado moro las tiendas abandona
C	Al ver al sol el alma de acero de Tizona...

RUBÉN DARÍO

Estrofas de tres versos

La combinación más usada son los *tercetos encadenados*, en versos endecasílabos: el primer verso de cada estrofa rima con el tercero, y el segundo con el primero y tercero de la estrofa siguiente. En vez de terminar con un terceto, la composición acaba con una estrofa de cuatro versos en rima alterna, para que no quede ninguno libre:

89

V	...Que aunque todas las aguas del olvido
X	Bebiese yo, por imposible tengo
V	Que me escapase, de tu lazo asido,
X	Donde la vida a más dolor prevengo.
Y	¡Triste de aquel que por estrellas ama,
X	Si no soy yo, porque a tus manos vengo!
Y	Donde si espero de mis versos fama,
Z	A ti lo debo, que tú sola puedes
Y	Dar a mi frente de laurel la rama,
Z	Donde murieron, vencedora quedes.

LOPE DE VEGA

Estrofas de cuatro versos

Se les dan diferentes nombres, según la combinación de las rimas y la longitud de los versos. Cuando éstos son de arte mayor, forman un *cuarteto* si riman el primero con el cuarto, y el segundo con el tercero (ABBA); y un *serventesio* si riman alternadamente (ABAB). Con versos de arte menor las denominaciones son, respectivamente, *redondilla* (ABBA) y *cuarteta* (ABAB).

Cuarteto:

A	A veces una hoja desprendida
B	De lo alto de los árboles, un lloro
B	De las ninfas que pasan, un sonoro
A	Trino de ruiseñor, turban mi vida.

ENRIQUE GONZÁLEZ MARTÍNEZ

Serventesio:

A	Flor deliciosa en la memoria mía,
B	ven mi triste laúd a coronar,
A	y volverán las trovas de alegría
B	en sus ecos tal vez a resonar.

ENRIQUE GIL Y CARRASCO

Redondilla:

A   Dadme licencia, Señor,
B   Para que deshecho en llanto
B   Pueda en vuestro rostro santo
A   Llorar lágrimas de amor.

Lope de Vega

Cuarteta:

A   Anoche cuando dormía
B   Soñé ¡bendita ilusión!
A   Que una fontana fluía
B   Dentro de mi corazón.

Antonio Machado

En los siglos XIII y XIV fue muy usada la estrofa monorrima de cuatro versos alejandrinos o *cuaderna vía*. Su empleo era uno de los rasgos en que los poetas cultos del mester de clerecía se distinguían de los juglares, aficionados al verso irregular y a la rima asonante. Orgullosamente lo dice el autor del *Libro de Alexandre* (hacia 1240):

A   Mester trago fermoso, non es de joglaría,
A   Mester es sen pecado, ca es de clerezía;
A   Fablar curso rimado por la quaderna vía,
A   A sílabas cuntadas, que es grand maestría.

Estrofas de cinco versos

Son el *quinteto*, de arte mayor, poco usado, y la *quintilla*, de arte menor, generalmente octosílaba. Los versos de las quintillas pueden ofrecer cualquier combinación de rimas, siempre que obedezcan a las tres condiciones siguientes: 1.ª Que no quede ninguno libre. 2.ª Que no rimen tres seguidos; y 3.ª Que los dos últimos no formen pareado. Dentro de una misma composición pueden mezclarse distintos tipos de quintillas:

Quinteto:

A Ese vago clamor que rasga el viento
B Es la voz funeral de una campana:
A Vano remedo del postrer lamento
A De un cadáver sombrío y macilento
B Que en sucio polvo dormirá mañana.

ZORRILLA

Quintillas:

A No en las vegas de Jarama
A Pacieron la verde grama
B Nunca animales tan fieros
A Junto al puente que se llama
B Por sus peces, de Viveros,
A Como los que el vulgo vio
B Ser lidiados aquel día;
A Y en las fiestas que gozó,
B La popular alegría
A Muchas heridas costó.

NICOLÁS FERNÁNDEZ DE MORATÍN

Estrofas de seis versos

Se llaman *sextinas*. Dejando a un lado formas anticuadas o raras, la combinación más usada en época reciente es la que se ajusta al esquema AAB' CCB'; domina el final agudo en los versos tercero y sexto:

A ¡Ay! La pobre princesa de la boca de rosa
A Quiere ser golondrina, quiere ser mariposa,
B Tener alas ligeras, bajo el cielo volar,
C Ir al sol por la escala luminosa de un rayo,
C Saludar a los lirios con los versos de Mayo,
B O perderse en el viento sobre el trueno del mar.

RUBÉN DARÍO

Estrofa de ocho versos

La *copla de arte mayor* consta de ocho versos de arte mayor, según el sentido concreto que antiguamente tuvo esta denominación (veáse pág. 70). Las rimas ofrecen casi siempre la estructura ABBAACCA. Es forma característica de la poesía del siglo xv, aunque hay intentos algo anteriores y el uso se prolonga en la primera mitad del xvi:

A   Tus casos falaces, Fortuna, contamos.
B   Estados de gentes que giras e trocas,
B   Tus grandes discordias, tus firmezas pocas,
A   E los que en tu rueda quexosos fallamos,
A   Fasta que al tiempo de agora vengamos;
C   De fechos passados cobdiçia mi pluma
C   E de los presentes, fazer breve suma:
A   Dé fin Apolo, pues nos començamos.

Juan de Mena

La *octava real*, implantada en nuestra poesía en el siglo xvi, está constituida por seis endecasílabos en rima alterna y otros dos que forman un pareado final (ABABABCC).

A   Cerca del Tajo en soledad amena
B   De verdes sauces hay una espesura,
A   Toda de hiedra revestida y llena,
B   Que por el tronco va hasta el altura,
A   Y así la teje arriba y encadena
B   Que el sol no halla paso a la verdura;
C   El agua baña el prado con sonido
C   Alegrando la vista y el oído.

Garcilaso de la Vega

La *octava italiana* tiene en rima aguda los versos cuarto y octavo; los restantes pueden acoplarse de diversos modos: aunque es frecuente que rimen el segundo con el tercero y el sexto con el séptimo, y que el primero y el quinto vayan libres, puede alterarse el orden o no quedar ningún verso libre:

A	Tu aliento es el aliento de las flores;
B	Tu voz es de los cisnes la armonía;
B	Es tu mirar el esplendor del día,
C'	Y el color de la rosa es tu color.
D	Tú prestas nueva vida y esperanza
E	A un corazón para el amor ya muerto;
E	Tú creces de mi vida en el desierto
C'	Como crece en un páramo la flor.

Bécquer

Cuando la octava italiana es de arte menor, se llama *octavilla*;

A	Con diez cañones por banda,
B	Viento en popa a toda vela,
B	No corta el mar, sino vuela,
C'	Un velero bergantín:
D	Bajel pirata que llaman
E	Por su bravura, el *Temido*,
E	En todo mar conocido
C'	Del uno al otro confín.

Espronceda

Estrofas de diez versos

La *décima* o *espinela* está formada por diez octosílabos, cuyas rimas se ajustan al tipo ABBAACCDDC; es decir, el primer verso rima con el cuarto y quinto; el segundo con el tercero; el sexto con el séptimo y décimo, y el octavo con el noveno. En su origen la décima procede de la fusión de dos quintillas, pero se distingue de ellas en que los versos cuarto y quinto riman entre sí, contradiciendo al requisito usual en las quintillas. El nombre de *espinela* se debe a que Vicente Espinel (1550-1624) pasa por ser quien fijó la forma definitiva de la décima:

```
A     Flechando vi con vigor
B     A una ninfa soberana
B     En el arco de Diana
A     Las saetas del Amor.
A     El corcillo volador,
C     Con ver su muerte vecina,
C     Aguarda, y la dura encina,
D     Blanco de sus tiros hecha,
D     En el hierro de su flecha,
C     Besa su mano divina.
```

Góngora

El soneto

Catorce versos distribuidos en dos cuartetos y dos tercetos, constituyen la combinación métrica llamada *soneto*. Nacido en Italia, el soneto se ha extendido a todas las literaturas modernas. Su estructura rigurosa y armónica lo hace insustituible, permitiendo que en breves dimensiones halle forma perfecta y conclusa un contenido poético ambicioso.

El soneto clásico es de versos endecasílabos, y con las mismas rimas para los dos cuartetos (ABBA, ABBA); sólo como excepción aparecen serventesios en vez de cuartetos. Los tercetos riman a gusto del poeta; los tipos más frecuentes son el de rimas cruzadas (CDC, DCD) y el de tres finales distintos en los versos del primer terceto, con las correspondientes rimas en el segundo (CDE, CDE), aunque no faltan otros patrones. Veáse cómo juega Lope de Vega, pintando humorísticamente en un soneto las dificultades de este género poético:

```
A     Un soneto me manda hacer Violante,
B     Que en mi vida me he visto en tanto aprieto:
B     Catorce versos dicen que es soneto;
A     Burla burlando, van los tres delante.
A     Yo pensé que no hallara consonante,
B     Y estoy a la mitad de otro cuarteto;
```

B	Mas si me veo en el primer terceto,
A	No hay cosa en los cuartetos que me espante.
C	Por el primer terceto voy entrando,
D	Y parece que entré con pie derecho,
C	Pues fin con este verso le voy dando,
D	Ya estoy en el segundo, y aun sospecho
C	Que estoy los trece versos acabando.
D	Contad si son catorce, y está hecho.

Otro ejemplo de soneto clásico:

A	¡Cuántas veces te me has engalanado,
B	Clara y amiga noche! ¡Cuántas, llena
B	de escuridad y espanto, la serena
A	Mansedumbre del cielo me has turbado
A	Estrellas hay que saben mi cuidado
B	Y que se han regalado con mi pena;
B	Que entre tanta beldad, la más ajena
A	De amor, tiene su pecho enamorado.
C	Ellas saben amar, y saben ellas
D	Que he contado su mal llorando el mío,
E	Envuelto en los dobleces de tu manto.
C	Tú, con mis ojos, noche, mis querellas
E	Oye y esconde, pues mi amargo llanto
D	Es fruto inútil que al amor envío.

FRANCISCO DE LA TORRE

En ocasiones nuestros escritores del Siglo de Oro añadían al soneto un apéndice llamado *estrambote*. Por lo general, el estrambote consta de un heptasílabo en rima con el verso decimocuarto, y de dos endecasílabos formando pareado. Esta añadidura casi sólo aparece en poemas burlescos, como el célebre de Cervantes *Al tumulto de Felipe II en Sevilla*:

«¡Voto a Dios, que me espanta esta grandeza
Y que diera un millón por describilla!
Porque ¿a quién no sorprende y maravilla
Esta máquina insigne, esta riqueza?»

«Por Jesucristo vivo, cada pieza
Vale más de un millón, y que es mancilla
Que esto no dure un siglo. ¡Oh gran Sevilla,
Roma triunfante en ánimo y grandeza!»
    «Apostaré que el ánima del muerto
Por gozar este sitio hoy ha dejado
La gloria donde vive eternamente.»
    Esto oyó un valentón, y dijo: «Es cierto
Cuanto dice voacé, señor soldado;
Y el que dijere lo contrario, miente.»
    Y luego incontinente
Caló el chapeo, requirió la espada,
Miró al soslayo, fuese, y no hubo nada.

La revolución métrica de Rubén Darío y sus seguidores tuvo consecuencias para la forma del soneto:
cundió el gusto por el soneto en alejandrinos —según
el uso francés— o en versos de otras medidas. En lugar
de cuartetos se ven a menudo serventesios, y a veces
la segunda estrofa no sigue las rimas de la primera. En
los últimos decenios se advierte una reacción en favor
del soneto clásico. Ejemplo de soneto en alejandrinos:

Caracol

En la playa he encontrado un caracol de oro
Macizo y recamado de las perlas más finas;
Europa le ha tocado con sus manos divinas
Cuando cruzó las ondas sobre el celeste toro.
    He llevado a mis labios el caracol sonoro
Y he suscitado el eco de las dianas marinas;
Le acerqué a mis oídos, y las azules minas
Me han contado en voz baja su secreto tesoro.
    Así la sal me llega de los vientos amargos
Que en sus hinchadas velas sintió la nave Argos
Cuando amaron los astros el sueño de Jasón;
    Y oigo un rumor de olas y un incógnito acento,
Y un profundo oleaje y un misterioso viento...
(El caracol la forma tiene de un corazón.)

RUBÉN DARÍO

XII

Combinaciones imparisílabas
de rima consonante

Coplas de pie quebrado

Tan antiguas como la consolidación del verso octosílabo en nuestra poesía lírica son las combinaciones
de aquél con hemistiquios tetrasílabos en las llamadas
coplas de pie quebrado, características de los cancioneros
del siglo xv y frecuentes también en el xvi. Ofrecen
amplia variedad de formas: la más conocida e imitada
después es la *estrofa manriqueña*, empleada por Jorge
Manrique (1440-1478) en las *Coplas a la muerte de su padre*,
y cuya estructura es A B c A B c, en coplas emparejadas.
En ocasiones hay algún pentasílabo en lugar de tetra-
sílabo.

Coplas de pie quebrado:

A   Recuérdate de mi vida
b   Pues que viste
A   Mi partir e despedida
b   Ser tan triste.
C   Recuérdate que padesco
d   E padescí
C   Los males que non meresco,
d   Desde que vi
A   La respuesta non debida

b   Que me diste,
A   Por la cual mi despedida
b   Fue tan triste.

MARQUÉS DE SANTILLANA

Estrofa manriqueña:

A   ¿Qué se fizieron las damas,
B   Sus tocados, sus vestidos,
c   Sus olores?

A   ¿Qué se fizieron las llamas
B   De los fuegos encendidos
c   De amadores?

A   ¿Qué se fizo aquel trobar,
B   Las músicas acordadas
c   Que tañían?

A   ¿Qué se fizo aquel dançar,
B   Aquellas ropas chapadas
c   Que traían?

JORGE MANRIQUE

Endecasílabos y heptasílabos: la estanza o estancia

Trasplantadas a nuestra literatura las formas de la versificación italiana por Boscán y Garcilaso, arraigaron en la poesía hispánica diversas combinaciones de endecasílabos y heptasílabos, que hacen en ellas el papel de hemistiquios. Las agrupaciones estróficas de versos de las dos medidas recibieron en los siglos XVI y XVII el nombre de *canción*.

La *estanza* o *estancia* es una combinación estrófica de versos de ambos metros, en número variable, y dispuestos según el gusto del poeta. La estructura de la primera estrofa debe repetirse en todas las restantes; sólo puede ser más breve la última, en la cual el autor suele dirigirse o aludir al mismo poema *(envío)*. La más típica forma de estancia consta de tres partes, designadas con los términos italianos de *capo, corpo* y *coda*: el capo está constituido por tres versos sin rima entre sí, seguidos de otros tres que riman con ellos; el *corpo* empieza en el séptimo verso, que generalmente es heptasílabo, y rima con el último del *capo;* después continúa hasta llegar a un remate de dos o tres versos, que es la *coda*:

Capo	A	Corrientes aguas puras, cristalinas;
	B	Árboles que os estáis mirando en ellas.
	C	Verde prado, de fresca sombra lleno;
	B	Aves que aquí sembráis vuestras querellas;
	A	Hiedra que por los árboles caminas
	C	Torciendo el paso por su verde seno:
Corpo	c	Yo me vi tan ajeno
	d	Del grave mal que siento,
	d	Que de puro contento
	E	Con vuestra soledad me recreaba,
	E	Donde con dulce sueño reposaba
Coda	F	O con el pensamiento discurría
	e	Por donde no hallaba
	F	Sino memorias llenas de alegría.

GARCILASO DE LA VEGA

Hubo otros tipos de estancia que no se ajustan a la triple división, teniendo por único requisito el que los versos formasen estrofas iguales. Tal sucede en la siguiente canción de Fernando de Herrera (1534-1597):

a	Aquel que libre tiene
B	de engaño el corazón, y sólo estima
a	lo que a virtud conviene
c	y sobre cuanto precia
B	el vulgo necio su intención sublima,
c	y el miedo menosprecia,
d	y sabe mejorarse,
D	sólo señor merece y rey llamarse.

La lira

Los poetas del Renacimiento emplearon juntos endecasílabos y heptasílabos para imitar de lejos ciertas formas de la versificación grecolatina, en especial las usadas por Horacio.

La más afortunada de estas imitaciones es la *lira*, compuesta de cinco versos, de los cuales son heptasílabos el primero, tercero y cuarto, y endecasílabos el segundo y quinto. Riman primero con tercero, y segundo con cuarto y quinto (aBabB). Tanto el orden de las rimas como el ser estrofa imparisílaba la diferencian del quinteto o la quintilla. Se llama *lira* porque la primera composición española en que apareció —la *Canción a la flor de Gnido*, de Garcilaso— comenzaba así:

a   Si de mi baja *lira*
B   Tanto pudiese el son, que en un momento
a   aplacase la ira
b   Del animoso viento
B   Y la furia del mar y movimiento...

Fray Luis de León y San Juan de la Cruz hicieron de la lira su estrofa predilecta.

Otras formas estróficas con endecasílabos y heptasílabos

Aparte de la lira, el recuerdo de los metros grecolatinos suscitó el nacimiento de otras combinaciones con versos de ambas medidas. Desde el siglo XVI abundan estrofas cuaternarias que en muchos tratados se incluyen entre las liras; pero tal clasificación es injustificada, pues no proceden de la lira, sino de imitación directa de estrofas muy distintas. Véanse ejemplos de diversos tipos:

A   Alaba, ¡oh alma!, a Dios: Señor, tu Alteza
b   ¿Qué nombre hay que la cuente?
A   Vestido estás de gloria y de belleza
b   Y luz resplandeciente...

Fray Luis de León

a   ¿Qué sirven las querellas
B   Si el castigo las culpas no descrece?
a   ¿Qué las leyes, cual ellas
B   Vanas, si exento el pueblo no obedece?

Francisco de Medrano

Tampoco deriva de la lira, aunque a menudo se la llame así, una estrofa de seis versos con esquema AaBccB, muy difundida en el siglo XIX y para la cual se ha propuesto el nombre de *sextina romántica*[1]:

Cual dilatado mar, la mies dorada,
A trechos esmaltada
De ya escasas y mustias amapolas,
Cediendo al soplo halagador del viento
Acompasado y lento,
A los rayos del sol mueve sus olas.

Núñez de Arce

Finalmente, una variedad de octava italiana tiene los versos cuarto y octavo heptasílabos, y endecasílabos los demás. El primero en usarla fue el poeta sevillano Arjona (1771-1820), y alcanzó alguna aceptación en el siglo XIX. Ciertos tratadistas la llaman *octava italiana de pie quebrado*:

A   Astro de paz, belleza de consuelo,
B   Antorcha celestial de los amores.
B   Lámpara sepulcral de los dolores.
c'   ¡Tierna y casta deidad!

---

[1] Tamayo y Rubio, Juan, *Teoría y técnica de la literatura* (1932), pág. 141.

A ¿Qué eres de hoy más sobre ese helado cielo,
D Un peñasco que rueda en el olvido,
D O el cadáver de un sol que endurecido
c'   Yace en la eternidad?

PASTOR DÍAZ

La silva

La *silva* es agrupación de endecasílabos y heptasílabos en serie indeterminada, no sujeta a distribución
en estrofas. El poeta emplea a su albedrío versos de una
u otra medida en cada caso, y los hace rimar según le
parece oportuno, pudiendo dejar algunos libres; la
única limitación es que las rimas no estén demasiado
separadas. Hay, sin embargo, casos de silva con total
ausencia de rimas, como la empleada por Jáuregui
(1583-1641) al traducir el *Aminta*, de Tasso. En el siglo
XVII se puso de moda la silva en pareados, sobre todo en
el teatro. En época moderna abunda mucho la silva
asonantada, según veremos después:

Silva aconsonantada corriente:

¿Con qué culpa tan grave,
Sueño blando y suave.
Pude en largo destierro merecerte
Que se aparte de mí tu olvido manso?
Pues no te busco yo por ser descanso,
Sino por muda imagen de la muerte.
Cuidados veladores
hacen inobedientes mis dos ojos
a la ley de las horas:
no han podido vencer a mis dolores
las noches, ni dar paz a mis enojos.
Madrugan más en mí que en las auroras
lágrimas a este llano,
que amanece a mi mal siempre temprano;

y tanto, que persuade la tristeza
a mis dos ojos, que nacieron antes
para llorar que para ver. Tú, sueño,
de sosiego los tienes ignorantes...

QUEVEDO

Silva en pareados:

   ¿Qué es esto, cielos puros,
claros a un tiempo, y en el mismo oscuros,
dando al día desmayos?
Los truenos, los relámpagos y rayos
abortan de su centro
los asombros que ya no caben dentro.
De nubes todo el cielo se corona,
y preñado de horrores, no perdona
el rizado copete de este monte.
Todo nuestro horizonte
es ardiente pincel del Mongibelo,
niebla el sol, humo el aire, fuego el cielo.

CALDERÓN DE LA BARCA

XIII

Combinaciones métricas de rima asonante

La asonancia en la poesía primitiva y tradicional

Las manifestaciones más antiguas de la poesía castellana tradicional cuentan entre sus peculiaridades el empleo de la rima asonante. No es que este uso sea exclusivamente hispánico, pues se da también en la época primitiva de otras literaturas medievales; pero mientras en Francia o Italia la asonancia fue totalmente sustituida por la consonancia, en España ha pervivido hasta nuestros días gracias al carácter notablemente conservador de la poesía tradicional, y por influjo de ésta se ha propagado a formas métricas que originariamente usaban la rima consonante.

Los primitivos *cantares de gesta* castellanos estaban compuestos por series monorrimas de versos irregulares, aunque de dimensiones parecidas, con una pausa central en cada uno. La rima era asonante, con la particularidad de mantener la *e* final latina en palabras que en el lenguaje ordinario la habían perdido *(pane, salvadore, lidiare)*, o añadir *e* final a voces agudas que etimológicamente no la tenían *(estane*, latín *stant; alláe*, latín *ad illac)*. Es frecuente que esta *e* no se vea escrita en los textos, con lo que se da la aparente incongruencia de que en series con asonancia en *á* haya versos terminados en *á... e;* en series en *ó*, versos en *ó... e*, etc. He aquí un ejemplo del *Cantar del Mio Cid* (h. 1140).:

A grandes vozes llama   el que en buen ora nació:
— «¡Feridlos, cavalleros,   por amor del Criador!»
«¡Yo soy Roy Díaz, el Cid   de Bivar Campeador!»
Todos fieren en el az   do está Per Vermudoz.
Trezientas lanças son,   todas tienen pendones;
seños moros mataron,   todos de seños colpes;
a la tornada que fazen   otros tantos muertos son.

También la poesía lírica de tipo tradicional ofrece abundante uso de la asonancia, en ocasiones también con la *e* final arcaizante o paragógica:

Del rosal vengo, mi m*a*dr*e*
Vengo del ros*ale*
A riberas de aquel v*ado*
Viera estar rosal gran*ado:*
Vengo del ros*ale*.
A riberas de aquel r*ío*
Viera estar rosal flori*do:*
Vengo del ros*ale*.

GIL VICENTE

El romance

A fines del siglo XIV y durante el XV surgió y se consolidó la más afortunada de las combinaciones métricas con rima asonante, el *romance*. Es una serie indeterminada de versos de igual medida en que los impares quedan libres y los pares riman en asonancia: El romance propiamente dicho es el de versos octosílabos; el de heptasílabos se llama *endecha* o *romance endecha;* el de hexasílabos o versos más breves, *romancillo*, y el de endecasílabos, *romance heroico*. Es frecuente, sobre todo desde el siglo XVI, que los romances tiendan a distribuir sus versos en grupos de a cuatro; pero la continuación de la misma asonancia para todos los grupos pone de manifiesto la unidad de la serie.

El romance es la forma de versificación más típicamente española. No sólo vive en la tradición popular de cuantos países hablan nuestra lengua, sino que ha sido usado, y lo es actualmente, por los poetas cultos en los más diversos géneros, tanto en la poesía narrativa como en la lírica y el teatro.

Romance propiamente dicho:

> Cabalga Diego Laínez
> al buen rey besar la mano;
> consigo se los llevaba,
> los trescientos hijosdalgo;
> entre ellos iba Rodrigo,
> el soberbio castellano.
> Todos cabalgan a mula,
> sólo Rodrigo a caballo;
> todos visten oro y seda,
> Rodrigo va bien armado;
> todos guantes olorosos,
> Rodrigo guante mallado...
>
> ANÓNIMO, SIGLOS XV-XVI

Endecha:

> ¡Ay, soledades tristes
> de mi querida prenda,
> donde me escuchan solas
> las ondas y las fieras!
> Las unas que, espumosas,
> nieve en las peñas siembran,
> porque parezcan blandas
> con mi dolor las peñas;
> las otras que bramando
> ya tiemplan la fiereza,
> y en sus entrañas hallan
> el eco de mis quejas...
>
> LOPE DE VEGA

Romancillo:

Hermana Marica,
mañana que es fiesta
no irás tú a la amiga
ni yo iré a la escuela.
Pondráste el corpiño
y la saya buena,
cabezón labrado,
toca y albanega;
y a mí me pondran
mi camisa nueva...

GÓNGORA

Romance heroico:

Pronto el son de timbales y añafiles
En la parte exterior, la grita y bulla
Que en las calles levanta el gran gentío,
Y el estruendo de arneses y herraduras,
Que llega dicen el gallardo moro,
El retador valiente. Expresión una
Y una sola actitud se advierte en todos
Cuantos el ancho circo en torno ocupan...

DUQUE DE RIVAS

La copla

La palabra copla tiene el sentido general de estrofa, como atestiguan los términos de *copla de arte mayor, copla de pie quebrado* y otros usuales en la antigua métrica castellana. Pero además posee la acepción concreta de cuarteta octosilábica asonantada, con rima en los versos segundo y cuarto, y con el primero y tercero libres. Una sucesión de coplas se distingue del romance en que la asonancia varía en aquéllas a cada cuarteta. La copla es una de las formas predilectas de los cantares populares modernos, a imitación de los cuales la emplean también los poetas cultos:

En la calle de los muros
han matado una pal*o*ma;
yo cortaré con mis manos
las flores de su cor*o*na.

ANÓNIMO ACTUAL

Bueno es saber que los vasos
nos sirven para beb*e*r;
lo malo es que no sabemos
para qué sirve la s*e*d.

ANTONIO MACHADO

Las *coplas de soledad* o *soleares* andaluzas constan sólo de tres versos, con rima asonante el primero y tercero, libre el segundo:

A mi puerta has de llam*a*r
y no he de salir a abrir,
y me has de sentir llor*a*r.

ANÓNIMO

Muerto se quedó en la c*a*ll*e*
con un puñal en el pecho.
No lo conocía n*a*di*e*.

FEDERICO GARCÍA LORCA

La seguidilla

A la segunda mitad del siglo xv remontan las muestras más antiguas de esta forma de versificación, que había de tener gran fortuna.

En un prinċipio la seguidilla estaba constituida por dos versos asonantados cuyos primeros hemistiquios eran más largos que los segundos; o lo que es lo mismo, por cuatro versos, de los cuales los impares eran más largos y sin rima, mientras que los pares eran más breves y rimaban en asonancia. El número de sílabas, primeramente impreciso, se estabilizó en alternancia de dos

111

heptasílabos con dos pentasílabos. La seguidilla cundió rápidamente en el siglo XVI, desplazando al villancico y otros tipos de canción ligera cultivados hasta entonces. Nuestros mejores poetas de hacia 1600 recogen exquisitos ejemplos, y actualmente comparte con la copla las predilecciones de la lírica popular.

Seguidillas con número de sílabas fluctuante:

> Mátanme los celos de aquel andaluz:
> háganme, si muriere, la mortaja azul;
> Perdí la esperanza de ver mi ausente:
> háganme, si muriere, la mortaja verde.
>
> GÓNGORA

Seguidillas regulares, de heptasílabos y pentasílabos:

> Pues andáis en las palmas,
> ángeles santos,
> que se duerme mi niño,
> tened los ramos.
>
> LOPE DE VEGA

> Eres como la rosa
> que está en el huerto,
> colorada por fuera,
> blanca por dentro.
>
> CANTAR ANÓNIMO ACTUAL

A veces la seguidilla lleva un apéndice de tres versos llamado *bordón* o *estribillo*: el primer verso y tercero del bordón son pentasílabos y riman en asonante distinta de la de los cuatro versos iniciales; y el segundo es heptasílabo y va libre:

> Cuatro lunares tienes,
> niña en tu rostro:
> tienes abril y mayo,
> julio y agosto.

De tal man*er*a,
tienes, niña, en tu cara
la primav*era*.

CANTAR ANÓNIMO ACTUAL

Otras combinaciones asonantadas

En la poesía moderna el modelo del romance, con versos impares libres y versos pares asonantes, se ha aplicado a las diversas combinaciones de endecasílabos y heptasílabos. Abunda así la silva asonantada; también son frecuentes las estrofas o grupos de cuatro versos, bien con una misma asonancia para toda la composición, bien con asonancia distinta para cada estrofa.

Silva asonantada:

A la desierta plaza
conduce un laberinto de call*eja*s.
A un lado, el viejo paredón sombrío
de una ruinosa igl*esia;*
a otro lado, la tapia blanquecina
de un huerto de cipreses y palm*era*s,
y, frente a mí, la casa
y en la casa, la r*eja*,
ante el cristal que levemente empaña
su figurilla plácida y risu*eña*.
Me apartaré. No quiero
llamar a tu ventana... Primav*era*
viene —su veste blanca
flota en el aire de la plaza mu*erta*—;
viene a encender las rosas
rojas de tus rosales... Quiero v*erla*...

ANTONIO MACHADO

Estrofas cuaternarias asonantadas:

Olas gigantes que os rompéis bramando
En las playas desiertas y rem*ota*s,
Envuelto entre la sábana de espumas,

113

¡Llevadme con vosotras!
Ráfagas de huracán, que arrebatáis
Del alto bosque las marchitas hojas,
Arrastrado en el ciego torbellino,
¡Llevadme con vosotras!

BÉCQUER

Como guarda el avaro su tesoro,
    Guardaba mi dolor.
Yo quería mostrar que hay algo eterno
A la que eterno me juró su amor.
Mas hoy le llamo en vano, y oigo al tiempo
    Que le agotó decir:
«¡Ah, barro miserable, eternamente
    No podrás ni aun sufrir!»

BÉCQUER

En composiciones donde se mezclan otros versos de diferentes medidas se encuentra a menudo en los poemas modernos el uso de la asonancia.

Véanse, por ejemplo, èstos versos constituidos por sucesiones de períodos prosódicos semejantes:

... Y el hombre
a quien duras visiones asaltan,
el que encuentra en los astros del cielo
prodigios que abruman y signos que espantan,
    mira al dromedario
    de la caravana
como el mensajero que la luz conduce,
¡en el vago desierto que forma
la página blanca!

RUBÉN DARÍO

114

XIV

Estribillos y glosas. Versos sin rima

El estribillo

Procedimiento muy usado en la poesía lírica de todos los tiempos y países es la repetición periódica de uno o varios versos que encierran la idea principal de la composición y que reciben el nombre de *estribillo*. Las literaturas peninsulares ofrecen dos tipos bien diferenciados de canción con estribillo en la poesía popular de la Edad Media: la *canción paralelística* y el *zéjel* o *villancico*.

La canción paralelística

Es propia de la antigua lírica popular gallego-portuguesa. Consta de estrofas constituidas por pareados —o por cuartetas, si los hemistiquios se convierten en versos— seguidos de un estribillo. Las estrofas suelen ir en grupos de dos, de modo que la segunda de cada pareja es repetición de la primera, sin más variaciones que las exigidas por el cambio de rima. También es frecuente que los segundos versos de cada pareja de estrofas sirvan de primeros en la pareja siguiente; a este encadenamiento se le daba el nombre de *leixaprén* o *lexa-prende* (equivalente a «deja y toma»). La canción paralelística era cantada probablemente por dos voces o coros alternos. Aunque menos que en el Noroeste, fue usada también en la poesía castellana hasta el siglo XVI. Sirva de ejemplo esta bellísima alborada gallega de Nuno Fernandes Torneol (siglo XIII):

El zéjel o villancico

> Levad' amigo que dormides as manhanas frías[1];
> Toda' las aves do mundo d'amor dizíam[2].
> ¡Leda m'and'eu![3]
> Levad' amigo que dormides las frías manhanas;
> Toda' las aves do mundo d'amor cantavam.
> ¡Leda m'and'eu!
> Toda' las aves do mundo d'amor dizíam.
> Do meu amor e do voss' en ment'avíam[4].
> ¡Leda m'and'eu!
> Toda' las aves do mundo d'amor cantavam.
> Do meu amor e do voss'y enmentavam[4].
> ¡Leda m'and'eu!

El zéjel nació en la España musulmana, desde donde se propagó a otros países del mundo islámico, a la España cristiana, a Francia y a Italia. En Castilla recibió el nombre de *villancico* o *villancete*, alusivo a su carácter popular, y sirvió de forma predilecta a la primitiva lírica tradicional. Consta de un estribillo y una serie de estrofas en cada una de las cuales el último verso rima con el estribillo, anunciando la repetición total o parcial de éste. El estribillo está formado por dos o tres versos; el tipo más simple de estrofa tiene tres versos monorrimos *(mudanzas)* y el cuarto *(vuelta)* en rima con el estribillo; pero hay muchas otras combinaciones,

---

[1] Levantáos, amigo que dormís en las mañanas frías.
[2] Todas las aves del mundo hablaban de amor.
[3] ¡Alegre estoy!
[4] Se acordaban de mi amor y del vuestro.

algunas muy complicadas. Aunque domina la consonancia, en los ejemplos más populares no es raro encontrar versos asonantados.

Zéjel o villancico del tipo más sencillo:

Estribillo	A	*Eres Niño y has amor:*
	A	*¿qué farás cuando mayor?*
Mudanzas	B	Pues que en tu natividad
	B	te quema la caridad,
	B	en tu varonil edad
Vuelta	A	¿quién sufrirá tal calor?
Estribillo	A	*Eres Niño y has amor:*
	A	*¿qué farás cuando mayor?*

Fray Íñigo de Mendoza

Estribillo	X	*Tres morillas me enamoran*
	a	*en Jaén:*
	A	*Axa y Fátima y Marién.*
Mudanzas	B	Tres morillas tan garridas
	B	iban a coger olivas
	B	y hallábanlas cogidas
Vuelta	a	en Jaén:
Estribillo	A	*Axa y Fátima y Marién.*

Anónimo (h. 1520).

Villancico con hemistiquios convertidos en versos:

	X	*Veo las ovejas*
	a	*orillas del mar;*
	b	*no veo al pastor*
	a	*que me hace penar.*
	c	Las ovejas veo
	d	orillas del río;
	c	no ve mi deseo
	d	el dulce amor mío.
	b	Miro en derredor
	a	del fresco pinar:

117

b   *no veo al pastor*
a   *que me hace penar.*

Juan de Timoneda

Mientras se mantuvo la popularidad del zéjel o villancico, sirvió con frecuencia al canto coral: un solista entonaba las estrofas, y al terminar la vuelta de cada una, el coro, avisado por la rima, cantaba el estribillo. Cuando en los siglos XVI y XVII el villancico, desplazado por la seguidilla, fue perdiendo terreno en la canción popular, se conservó en la lírica de los poetas cultos: muchas letrillas de Góngora, Lope de Vega o Quevedo responden perfectamente a su estructura.

La letrilla

En el Siglo de Oro se dio el nombre de *letrilla* a toda poesía compuesta por una sucesión de estrofas con vuelta y estribillo. Las estrofas podían tener la estructura del villancico de seis u ocho versos, o bien estaban formadas por redondillas o quintillas dobles, décimas con la rima final alterada para que sirviera de vuelta, versos de romances, u otras varias combinaciones.

Letrilla en décimas con vuelta:

Rosal, menos presunción
donde están las clavellinas,
pues serán mañana espinas
las que agora rosas son.

¿De qué sirve presumir,
rosal, de buen parecer,
si aún no acabas de nacer
cuando empiezas a morir?
Hace llorar y reír
vivo y muerto tu arrebol
en un día o en un sol;

desde el oriente al ocaso
va tu hermosura en un paso,
y en menos tu perfección.

Rosal, menos presunción
donde están las clavellinas,
pues serán mañana espinas
las que agora rosas son.

No es muy grande la ventaja
que tu calidad mejora:
si es tus mantillas la aurora

es la noche tu mortaja:
no hay florecilla tan baja
que no te alcance de días,
y de tus caballerías,
por descendiente del alba,
se está riyendo la malva,

cabellera de un terrón.

Rosal, menos presunción
donde están las clavellinas,
pues serán mañana espinas
las que agora rosas son.

Quevedo

Letrilla en forma de romancillo:

La más bella niña
de nuestro lugar
hoy viuda y sola
y ayer por casar,
viendo que sus ojos
a la guerra van,
a su madre dice
que escucha su mal:
Dexadme llorar
orillas del mar.

Pues me distes madre,
en tan tierna edad
tan corto el placer
tan largo el penar,
y me cautivastes
de quien hoy se va
y lleva las llaves
de mi libertad.
Dexadme llorar,
orillas del mar.

Góngora

La glosa

La palabra *glosa* significa explicación o comentario.
En este sentido las estrofas del villancico y la letrilla
son verdaderas glosas, pues ordinariamente amplifican
la idea contenida en el estribillo. Pero la glosa propiamente dicha consta de un texto de extensión variable
cuyo sentido se expone en una sucesión de estrofas, de
tal modo que cada estrofa tiene por último o últimos
versos otros tantos del texto glosado, los que por orden
le corresponden. Hay glosas de poesías extensas, pero
es más frecuente que el texto no pase de cinco versos.
Las estrofas más usuales son décimas o grupos de dos
quintillas. Con el pie forzado de tener que incorporar

119

a las estrofas los versos del texto, la glosa era un ejercicio de habilidad técnica, un juego de virtuosismo; y este carácter se acentuó porque predominaban los textos con temas basados en ingeniosidades sutiles. En *El Caballero de Olmedo*, de Lope de Vega, el protagonista, despidiéndose de su amada, glosa una antigua y conocida canción:

Puesto ya el pie en el estribo,
Con las ansias de la muerte.
Señora, aquesta te escribo.

   Yo lo siento y voy a Olmedo,
Dejando el alma en Medina.
No se cómo parto y quedo:
Amor la ausencia imagina
Los celos, señora, el miedo.
Así parto muerto y vivo,
Que vida y muerte recibo.
Mas ¿qué te puedo decir,
Cuando estoy para partir,
Puesto ya el pie en el estribo?

   Ando, señora, estos días,
Entre tantas asperezas

De imaginaciones mías,
Consolado en mis trstezas
Y triste en mis alegrías.
Tengo, pensando perderte,
Imaginación tan fuerte,
Y así en ella vengo y voy,
Que me parece que estoy
Con las ansias de la muerte.

   La envidia de mis contrarios
Temo tanto, que aunque pue-
Poner medios necesarios, [do
Estoy entre amor y miedo
Haciendo discursos varios
Ya para siempre me privo
De verte, y de suerte vivo
Que mi muerte presumiendo,
Parece que estoy diciendo:
Señora, aquesta te escribo.

Muy corriente en nuestros siglos XVI y XVII, la glosa fue repudiada por la poesía culta a partir del neoclasicismo, pero subsiste en la poesía popular de varios países hispanoamericanos.

Combinaciones de versos sin rima

Los versos sueltos clásicos

   Se da por antonomasia el nombre de *versos sueltos, libres* o *blancos* a series de endecasílabos sin rima. Su empleo se inició en la Italia del Renacimiento, con el deseo de imitar la poesía grecolatina, desconocedora, como ya se ha dicho, de la rima. Introducidos en nuestra literatura, su noble severidad ha hecho que sean muy usados en la poesía elevada:

De «*El Cristo de Velázquez*»

Como la rosa del zarzal bravío
con cinco blancos pétalos, tu cuerpo,
flor de la creación; sangriento cáliz
tu henchido corazón, donde destilas
el suero de la crema de la vida.
Se colmó de dolor tu cáliz, vaso
de la insondable angustia que no coge
en corazón mortal; de Ti aprendimos,
divino Maestro de dolor, dolores
que surten esperanzas...

Miguel de Unamuno

La estrofa sáfica

Recibe este nombre la adaptación de una estrofa empleada en Grecia por Safo, poetisa del siglo VI antes de Jesucristo, y por Horacio en las letras latinas. Consta de tres endecasílabos, preferentemente sáficos, seguidos de un pentasílabo. Como los versos de cinco sílabas eran propios de los himnos que en la antigüedad pagana se dirigían a Adonis, la estrofa es conocida también con la denominación de *sáfico-adónica*:

Dulce vecino de la verde selva,
Huésped eterno del abril florido,
Vital aliento de la madre Venus,
Céfiro blando;
Si de mis ansias el amor supiste,
Tú, que las quejas de mi voz llevaste,
Oye, no temas, y a mi ninfa dile,
dile que muero.

Villegas

Otra forma de adaptación es la que sustituye el pentasílabo final por un heptasílabo. Veánse las últimas estrofas de *El faro de Malta*, del Duque de Rivas:

> Jamás te olvidaré, jamás... Tan sólo
> Trocara tu esplendor, sin olvidarlo,
> Rey de la noche, y de tu excelsa cumbre
> La benéfica llama,
> Por la llama y los fúlgidos destellos
> Que lanza, reflejando al sol naciente,
> El arcángel dorado que corona
> De Córdoba la torre.

El verso libre actual

Aunque en el verso libre usado en la lírica contemporánea aparece en ocasiones la rima consonante, más frecuente es la asonancia, cuya imprecisión se aviene mejor con la vaga fluidez de este tipo de poesía. Lo que domina, sin embargo, es la total ausencia de rima, que de ordinario se une con la no sujeción a medida, como en los ejemplos citados en las páginas 67-68; pero a veces los versos se agrupan en unidades semejantes a estrofas, o en serie de absoluta regularidad métrica:

> No quiero que vayas,
> dolor, última forma
> de amar. Me estoy sintiendo
> vivir cuando me dueles
> no en ti, ni aquí, más lejos;
> en la tierra, en el año
> de donde vienes tú,
> en el amor con ella
> y en todo lo que fue...
>
> PEDRO SALINAS

XV

Géneros literarios. La poesía. Poesía épica. La epopeya

Los géneros literarios

La creación literaria es siempre exteriorización duradera de la belleza por medio de la palabra. Pero dentro de esta esencial unidad de carácter ofrece variedades que dependen de diversos factores: en primer lugar, el autor se propone unas veces un fin exclusiva o predominantemente estético, mientras que en otras ocasiones la belleza está al servicio de fines prácticos o docentes; además, se pueden referir hechos, bien sean reales, bien imaginarios; presentarlos como acción que se desarrolla ante los ojos de un público; o dar expansión a lo que se siente y piensa. En segundo término el medio expresivo empleado —prosa o verso, exposición, narración o acción representable— tiene exigencias y técnica propias. Finalmente, la costumbre heredada, la tradición, ha ido fijando los distintos tipos de obras o *géneros literarios*.

Desde Aristóteles hasta el siglo xviii, la clasificación de las obras literarias se hizo con criterio dogmático y regulador. Se creía que los géneros existentes en cada momento eran algo permanente, con sus cánones fijos también; y se buscaban explicaciones racionales para justificar las *leyes* literarias. Pero los códigos de los preceptistas eran constantemente desmentidos por la realidad: unos géneros caían en el olvido, nacían otros

123

nuevos, y los subsistentes experimentaban incesantes variaciones. Sin embargo, aún después de la rebelión romántica contra las normas, la estética alemana del siglo xix intentó hallar razón de ser filosófica para los géneros.

El extremo opuesto, representado por la estética de Croce, niega valor científico a la distinción entre los géneros literarios. Pero es indudable que cada clase de obras tiene o ha tenido sus hábitos, variables y arbitrarios, pero con innegable efectividad. En este sentido, concibiéndolos como entidades que han existido o existen, sin atribuirles carácter permanente ni razón de ser filosófica, trataremos en adelante de los géneros literarios. Téngase en cuenta que entre unos y otros no hay límites tajantes y que muchos tipos de obras no se dejan clasificar con facilidad.

Las obras literarias suelen dividirse en tres grandes grupos, según el fin perseguido. La *poesía* comprende todas aquellas cuyo propósito esencial sea la creación de belleza. La *didáctica* trata de aleccionar o de exponer doctrinas. La *oratoria* pretende convencer o conmover por medio de la palabra hablada. En las obras didácticas y oratorias, la belleza es sólo un fin secundario, a veces sólo un medio. Otras clasificaciones añaden como géneros fundamentales la *novela* y la *historia*.

La poesía y el verso

La poesía es la más alta expresión del arte literario. Se caracteriza, como ya se ha dicho, por tener fin esencialmente estético; pero esto no quiere decir que la obra poética haya de ser totalmente ajena a otros propósitos: el autor puede glorificar a un héroe, exponer o defender una idea, servir a una empresa, enamorar a una mujer, etc., valiéndose de las obras mismas. Lo importante es que al concebirlas y elaborarlas, el fin estético se sobreponga a los móviles ideológicos o vitales.

La forma habitual de la poesía es el verso; pero no son términos que se correspondan forzosamente. Hay poesía, finísima a veces, en prosa, y versos ramplones que no merecen el nombre de poesía. Esta distinción se hizo más honda al surgir hacia 1925 la tesis de la *poesía pura*. Según esta doctrina, la verdadera poesía no consiste en las ideas, imágenes, ritmos, palabras ni sonidos: es algo misterioso que de cuando en cuando se deja prender en lo que el poeta dice; entonces las palabras se contagian del encanto poético, se electrizan y cobran inusitado poder. Descubrimos la huella de la poesía y sentimos la eficacia de su virtud, pero no podemos definirla porque es extrarracional e inefable. Mucho antes de que la idea de la poesía pura apareciera en Francia, suscitando una memorable polémica, nuestro Bécquer la había formulado con toda claridad; en la rima V la poesía misma dice:

> Yo, en fin, soy ese espíritu,
> Desconocida esencia,
> Perfume misterioso
> De que es vaso el poeta.

Generalmente se distinguen tres géneros poéticos capitales: poesía *épica*, poesía *lírica* y poesía *dramática;* esto es, relato o pintura de hechos externos, expresión de pensamientos o afectos, y obras destinadas a la representación teatral. Los poemas que no se ajustan íntegramente a una de estas clases, bien por reunir caracteres de unas y otras, bien por combinar lo poético y lo didáctico, los estudiaremos a continuación de los géneros épicos o líricos propiamente dichos, según los elementos que en ellos predominen.

Poesía épica

La palabra *epos* significa en griego «narración». Poesía *épica* es la que narra las hazañas de héroes his-

125

tóricos o legendarios; por esto se la llama también poesía *heroica*. Se ha dicho que es la poesía de lo objetivo y exterior al poeta, pero el poeta nunca procede con absoluta objetividad, ya que de ordinario celebra héroes de su pueblo o religión, y el amor que les profesa, así como el odio que siente hacia sus enemigos, se refleja en el modo de pintar a unos y otros. Además hay ocasiones en que la trama sirve para manifestar ideas y concepciones personales del universo, como ocurre en los poemas alegóricos y filosóficos.

El poema épico tiene una *acción* o *fábula*, esto es, un argumento constituido por una sucesión de hechos relacionados entre sí. Las partes que se acostumbra a distinguir en la acción son *exposición*, *nudo* y *desenlace*. En la *exposición* o planteamiento se dan a conocer el punto de partida de la *fábula* y los antecedentes necesarios para que los lectores u oyentes puedan seguirla. El *nudo* es la parte central de la acción. En el *desenlace* la acción se resuelve y llega a su fin. Junto a la acción principal puede haber otras secundarias o *episódicas* convenientemente enlazadas con aquélla. La figura en torno a la cual gira el poema, su héroe supremo, se llama *protagonista*. Es frecuente que se le oponga un *antagonista*, personaje de mayor relieve en el bando contrario.

Los poemas épicos solían comenzar con la *proposición* o breve anuncio del asunto y la *invocación* a seres divinos, pidiéndoles ayuda para celebrar dignamente hechos tan merecedores de gloria. Después el poema trataba el asunto, bien siguiendo el orden de la acción, como en la *Ilíada*, bien arrancando de un punto avanzado de su desarrollo y poniendo el relato de todo lo anterior en boca de un personaje, como en la *Odisea* y la *Eneida*. Con la narración alternaban descripciones de lugares y objetos, así como retratos de personajes. La extensión de los poemas era grande, por lo que se dividían en partes llamadas generalmente *cantos*, *rapsodias* entre los griegos, *cantares* en la Edad Media española. La versificación empleada era majestuosa y lenta, de acuerdo con el carácter idealizador de las obras: el verso épico grecolatino fue el hexámetro; en los siglos XIII y XIV los poetas del mester de clerecía se valieron del alejandrino; la épica española culta del siglo XV usó el verso de arte mayor y desde el siglo XVI el endecasílabo, especialmente en octavas reales.

Era corriente que los poetas, bien fuera aprovechando como recurso poético las creencias de su comunidad, bien imitando a los autores grecolatinos, bien, por último, como libre creación de su fantasía, hiciesen que en el asunto de los poemas épicos interviniera lo sobrenatural o maravilloso; a esta participación se le da el nombre de *máquina épica*. Así, por ejemplo, Homero presenta a los dioses actuando constantemente en las luchas de griegos y troyanos, y Virgilio en favor o en contra de Eneas.

Epopeya es voz equivalente de «poema épico». Como las grandes epopeyas ofrecen una visión amplia de la vida, costumbres, sentimientos y creencias de los pueblos y épocas a que pertenecen, la estética romántica señaló el *Ramayana* y el *Mahabharata* indios, la *Ilíada* y la *Odisea*, y la *Divina Comedia* de Dante como representativos de los tres ciclos o civilizaciones que distinguían en la historia universal: los poemas indios condensaban la civilización oriental y el arte simbólico; los de Homero, la civilización y el arte clásicos; el de Dante, la civilización cristiana medieval.

Las epopeyas tradicionales

El nombre de *epopeya* designa también el conjunto de creaciones épicas tradicionales propias de un pueblo. La épica tradicional celebra las hazañas de los héroes de una raza o nación y convierte en leyendas y mitos los recuerdos que el pueblo tiene acerca de su pasado.

Los creadores de este tipo de poesía épica eran poetas errantes que cantaban o recitaban sus obras en los palacios de los nobles y en las plazas de las villas. Acompañaban el canto con instrumentos de cuerda (entre los griegos, la *cítara*, y entre los germanos, el *arpa*). Estos poetas se llamaban en Grecia *aedas* y *rapsodas*, *scopas* entre los germanos primitivos, *escaldas* en Escandinavia e Islandia, y en los pueblos latinos de Europa, durante la Edad Media, *juglares*. No expresaban sentimientos exclusivamente suyos, sino propios también de la colectividad, y su nombre, de ordinario, es desconocido. Hasta su labor personal acaba muchas veces por diluirse, mezclada con la de otros en posteriores refundiciones. Sus creaciones pasaban de unas generaciones a otras, modificándose constantemente. A veces las gentes aprendían fragmentos de las obras y a su vez introducían variantes y suprimían o añadían versos. Otras veces poetas geniales recogían producciones anteriores a ellós y les daban forma casi definitiva: es el caso de la epopeya india, de Homero y de *Los Nibelungos*.

La epopeya tradicional india está reunida en los dos grandes poemas *Ramayana* y *Mahabharata*, cuya compilación se atribuye respectivamente a Valmiki y Vyasa. De la epopeya griega son muestra suprema la *Ilíada* y la *Odisea*, atribuidas a Homero.

En la Edad Media, con las invasiones, surgen nuevas epopeyas nacionales: la germánica agrupa sus leyendas o *sagas* en torno a la figura de Atila, y su producción más importante es el poema de *Los Nibelungos*. La nórdica es una rama de la epopeya germánica y está constituida por las compilaciones llamadas *Edda* y sagas posteriores. La epopeya francesa celebra las empresas de Carlomagno, y las hazañas de caballeros de su época, bien en guerra contra los moros, bien en luchas feudales; su obra principal, la *Chanson de Roland*, cuenta la muerte de este héroe en la batalla de Roncesvalles.

La epopeya castellana, que es la más reciente de todas, tomó por asunto leyendas referentes a los primitivos condes castellanos, la muerte de los infantes de Lara, las luchas fratricidas entre los hijos de Fernando I, acabadas con la muerte de Sancho II en Zamora, los hechos del Cid y de Bernardo del Carpio, etc. Tanto la epopeya francesa como la castellana tuvieron como forma usual la de *cantares de gesta*, compuestos de series más o menos largas de versos monorrimos (veáse pág. 107).

En la poesía épica tradicional el lenguaje estaba salpicado de fórmulas rituales, gratas a los poetas y a su auditorio. Había una fraseología consagrada: en el *Cantar de Mio Cid* el dolor de la separación entre familiares se indica siempre con la comparación *assis'parten unos de otros como la uña de la carne;* la mayor proeza del guerrero es que en el combate la sangre enemiga le gotee hasta el codo, *por el cobdo ayuso la sangre destellando,* etc. Muy típicos son los *epítetos épicos,* adjetivos o frases empleadas sistemáticamente para caracterizar a un personaje o con propósito ornamental: célebres son epítetos homéricos como «Aquiles, *el de pies ligeros»,* «Héctor, *el de tremolante casco»,* «la Aurora *de los dedos de rosa»;* en *Mio Cid,* el héroe es llamado *la barba bellida* o *el que en buen hora ciñó espada.*

Los romances

Cuando los cantares de gesta decayeron, la épica española tuvo un nuevo florecimiento con el *Romancero.* Ya se ha estudiado (página 108) la forma métrica de los romances. En ellos la narración era mucho más rápida que en los cantares de gesta, y con mayor intervención de diálogos y elementos líricos. En la primera época del *Romancero* (desde 1360 [?] a 1500) gran parte de los romances eran fragmentos o resúmenes, con metro regular ya y más o menos modificados por la tradición oral, de cantares de gesta recitados por los juglares.

Otros romances cantaban asuntos históricos nuevos, tomados de sucesos contemporáneos, como los que tratan de Pedro I el Cruel y los *fronterizos*, relativos a las guerras sostenidas contra los moros granadinos. Otros, finalmente se inspiraban en leyendas caballerescas o en temas novelescos y líricos. Peculiaridad de los romances es su fragmentarismo: no ofrecen de ordinario un relato completo, sino truncado, haciéndonos a veces imaginar más de lo que dicen.

Desdeñados al principio por los trovadores cortesanos, los romances fueron luego acogidos e imitados por ellos en tiempo de los Reyes Católicos. En el siglo XVI alcanzaron su mayor florecimiento. La imprenta los propagó en pliegos sueltos, y más tarde en colecciones con títulos como *Cancionero de Romances, Silva, Flor*, o *Primavera de romances, Romancero general* y otros análogos. Los poetas más refinados del Siglo de Oro contribuyeron a su esplendor, y pusieron de moda los romances *artísticos* o *artificiosos*, narrativos o descriptivos unas veces, muchas otras de fondo lírico; frecuentemente cantaban sus propios amores con nombres supuestos, como si se tratara de caballeros y damas granadinas *(romances moriscos)*, o de pastores idealizados *(romances pastoriles)*, y no faltan los temas burlescos o satíricos. El neoclasicismo no echó en olvido el romance, y la poesía romántica le infundió vigor nuevo, especialmente el Duque de Rivas y Zorrilla.

Mientras el romancero culto se mantenía vivo en la literatura, el de tradición popular experimentó notoria decadencia a partir del siglo XVII. Hoy los romances tradicionales son recogidos amorosamente en todos los países hispanos. Por otra parte, la poesía culta actual, al lado del romance lírico, cultivado sin interrupción, ha dignificado temas populares: *La tierra de Alvargonzález*, de Antonio Machado; el *Romancero gitano*, de García Lorca, y los *Romances del 800*, de Fernando Villalón, son lo más destacado y valioso en este sentido.

XVI

Poemas épicos cultos.
Poesía épico-didáctica

Poemas épicos cultos

Las epopeyas tradicionales son la manifestación más antigua y genuina de la inspiración épica. Los poemas narrativos cultos surgen más tarde, bien imitándolas, bien tratando de competir con ellas. Lo primero ocurrió en la antigüedad clásica, donde el ejemplo de Homero suscitó la emulación de poetas griegos tardíos y, sobre todo, de poetas latinos que anhelaban dar a Roma la gran creación épica de que en un principio carecía. La competencia se dio en nuestra Edad Media, cuando los poetas del mester de clerecía, con aire de superioridad, pretendieron disputar el terreno a los juglares.

Los poemas épicos cultos están compuestos de ordinario para la lectura, no para el canto. Su asunto no necesita guardar relación con las leyendas que constituyen la base de la epopeya tradicional. Son obras más reflexivamente elaboradas que las tradicionales; éstas, en cambio, las superan casi siempre en grandeza espontánea, ingenuidad y lozanía. En los poemas cultos se manifiesta más claramente la personalidad del autor. Por su asunto pueden distinguirse los poemas *heroicos*, *caballerescos*, *religiosos*, *alegóricos* y *filosóficos*, aparte de los que agruparemos como poemas épicos menores.

Poemas heroicos y caballerescos

Los poemas heroicos son los más cercanos al espíritu de la epopeya tradicional. Pero no nacen al calor de la necesidad de mitificación propia de las sociedades primitivas, sino impulsados por el sentimiento nacionalista o con pretensiones de erudición. El modelo clásico de poema heroico culto fue la *Eneida*, de Virgilio, que supo fundir la imitación de Homero con el carácter romano, y que junta a la grandiosidad épica intenso dramatismo y suave melancolía. Muy distinta es la *Farsalia*, del cordobés Lucano, basada en asunto que era reciente en tiempo del autor —la guerra civil entre César y Pompeyo—, obra fiel a la Historia, realista y apasionada.

En el Renacimiento, con la formación de las naciones modernas, cada uno de los países occidentales desea poseer una epopeya culta comparable a las creaciones homéricas o a la *Eneida*, y exaltadora de las glorias nacionales. El más hermoso de estos poemas es *Os Lusiadas*, del portugués Luis de Camoens (1524-1580), que celebra el viaje de Vasco de Gama a la India doblando el Cabo de Buena Esperanza, y pone en labios del protagonista un bellísimo resumen de la historia de Portugal. En España tenemos, entre otros, *La Araucana*, de Alonso de Ercilla (1533-1594), referente a la conquista de Chile por los españoles, en la cual había tomado parte el mismo Ercilla.

El poema caballeresco apareció en Europa en el siglo XII, al extenderse las leyendas bretonas de *Lanzarote, el rey Artus y los caballeros de la Tabla Redonda, Tristán e Iseo, la Demanda del Santo Grial* y otras semejantes. Estas leyendas estusiasmaron a la sociedad cortés: hablaban de amores intensos y fatales, de caballeros entregados al riesgo de la aventura, de extraños episodios de encantamientos y sortilegios. Por otra parte, la epopeya medieval francesa, la carolingia, fue apartándose cada vez más del primitivo fondo histórico y adquiriendo progresivamente carácter novelesco. En Italia, los poemas bretones y carolingios lograron extraordinaria difusión; pero los poetas del Renacimiento no tomaron en serio sus relatos de aventuras desaforadas, y les dieron un tono irónico. La obra maestra del poema caballeresco renacentista fue el *Orlando furioso*, de Ludovico Ariosto (1474-1533), donde la imaginación se pierde en un complicadísimo tejido de fantásticos episodios salpicados de humorismo. Entre las imitaciones españolas de Ariosto descuella el *Bernardo*, de Bernardo de Balbuena (1568-1625?), que mezcla la vieja leyenda nacional de Bernardo del Carpio con elementos novelescos procedentes del *Orlando*.

En la segunda mitad del siglo xvi la poesía narrativa se hallaba en el dilema de seguir el ejemplo de Ariosto u obedecer a la admiración por la *Eneida*. Además el espíritu de la Contrarreforma exigía orientación religiosa, a la vez que los preceptistas reclamaban que los poemas tuvieran, cuando menos, una base histórica firme. La *Jerusalén libertada*, de Torcuato Tasso (1544-1595), intentó un compromiso entre las diversas tendencias: es esencialmente histórica, pues trata de la conquista de la Ciudad Santa por los cruzados, al mando de Godofredo de Bouillon; pero con la acción principal se enlazan otras novelescas al modo del *Orlando furioso*. Los caballeros del Tasso no se ocupan, sin más, de amores y aventuras, sino que están empeñados en una empresa de fin religioso; pero el fundamental cristianismo de la obra no es obstáculo para que el poeta siga de cerca los pasos de Homero y Virgilio. La *Jerusalén* fue el último gran poema culto de tema heroico a la manera clásica, y juntamente el último poema caballeresco de valía.

Después, ni la *Henriada*, de Voltaire, ni las demás tentativas neoclásicas pasaron de mediocridades. El Romanticismo, en forma muy distinta a la de los poemas clásicos, acertó a crear obras de gran alcance, inspiradas

133

en los viejos asuntos tradicionales, como *El moro expósito*, del Duque de Rivas, y la *Leyenda del Cid*, de Zorrilla.

En época cercana, *La Atlántida*, del catalán mosén Jacinto Verdaguer (1843-1902), es quizá la obra épica de más aliento y grandiosidad. En dirección opuesta, popularizante, destaca el *Martín Fierro*, poema del gauchaje y la pampa, del argentino José Hernández (1834-1886). De todos modos, la decadencia del género épico-heroico es casi absoluta; las condiciones de la sociedad moderna, demasiado civilizada y con sobrado sentido crítico, no son propicias al florecimiento de estas producciones.

Poemas religiosos, alegóricos y filosóficos

La poesía épica no ha servido únicamente para celebrar los hechos de héroes legendarios o históricos, sino que ha tratado también asuntos religiosos. En la Edad Media abundan los relatos de milagros y vidas de santos, como el poema anónimo francés *La Vie de Saint Alexis* (siglo xi) y los del riojano Gonzalo de Berceo. En el Renacimiento la narración religiosa adoptó la forma del poema heroico clásico; así es la *Cristíada*, de Fray Diego de Hojeda (1570-1615), que se inspira en la Pasión del Señor. Más tarde, aparecen en países protestantes dos grandes creaciones: *El Paraíso Perdido*, del inglés John Milton (1608-1674), obra de grandeza y profundidad extraordinarias, que acierta plenamente en la difícil pintura del mundo celeste e infernal, y la *Mesíada*, del alemán Klopstock (1724-1803), sobre la predicación y muerte de Jesús.

Los poemas alegóricos son, como su nombre indica, los que tienen una acción de sentido alegórico; el asunto y carácter de las obras es, por lo demás, muy vario: religioso-moral en la *Psychomachia*, de Prudencio (siglo iv), que presenta la contienda de vicios y virtudes en el alma;

amoroso en el *Roman de la Rose* (siglo XIII), en que el enamorado trata de obtener el amor de una doncella, simbolizado en la rosa de un huerto difícilmente accesible; religioso-filosófico en la *Divina Comedia*, de Dante Alighieri (1265-1321), y de tema nacional en el *Laberinto de Fortuna* o *Las Trescientas*, de Juan de Mena (1411-1456), que aprovecha la ficción alegórica de las ruedas del pasado y del presente, gobernadas por la Providencia, para cantar las figuras más relevantes de la Castilla de su tiempo.

La exposición poética de doctrinas filosóficas puede hacerse directamente, como veremos al tratar de los poemas didácticos, o mediante personajes y acción en que se planteen fundamentales problemas relativos a la humanidad y el universo, como el *Fausto*, del alemán Goethe (1749-1832), obra maestra del género.

Otros poemas filosóficos son *La reina Mab* y *Alastor*, del inglés Shelley (1792-1822); *La caída de un ángel*, de Lamartine (1790-1869); *La leyenda de los siglos*, de Víctor Hugo (1802-1885), y *El Diablo Mundo*, de Espronceda (1808-1842).

Poemas épicos menores

Entre los poemas épicos mayores y los menores no hay separación tajante. Un tipo de poema generalmente breve se ofrece en ocasiones desarrollado hasta alcanzar extensión considerable. Por el contrario, géneros como el heroico, habitualmente amplios, cuentan con obras limitadas a un solo canto.

La mitología grecolatina ha dado lugar a abundante producción narrativa. Ovidio reunió en sus largas *Metamorfosis* gran número de leyendas mitológicas. En el Renacimiento muchas de ellas fueron tratadas en brillantes relatos poéticos, casi siempre breves, como la *Fábula de Polifemo y Galatea*, de Góngora. Otras veces

135

el poema de asunto mitológico es, como el *Adonis*, de Marini (1569-1625), o la *Circe*, de Lope de Vega, más ambicioso y extenso.

Desde fines del siglo XVIII, al evidenciarse la postración de la gastada poesía heroica, surgió el deseo de inspirarse en la vida cotidiana, dignificando la realidad contemporánea, sobre todo el ambiente campesino. Abre el camino Goethe con su *Hermann* y *Dorotea*. Tendencia semejante siguen Lamartine en *Jocelyn*, y Mistral (1830-1914) en *Mireya*, obra más amplia, con la cual tuvo un efímero resurgimiento la literatura provenzal.

Con el Romanticismo alcanzó gran desarrollo la *leyenda*, poema breve de ambiente misterioso o sobrenatural, cuyo asunto o bien está basado en tradiciones preexistentes o bien, a imitación de ellas, es producto de la imaginación del poeta. Célebres son las leyendas de Zorrilla *A buen juez mejor testigo*, *Margarita la Tornera* y *El Capitán Montoya;* la de Espronceda, *El estudiante de Salamanca*, y las de Bécquer, en prosa, *Maese Pérez el organista*, *Los ojos verdes*, *El Cristo de la Calavera*, *El Miserere*, *La Corza Blanca*.

La *balada* es en los países norteños un poema breve épico-lírico semejante a nuestros romances. Los poetas románticos alemanes e ingleses la cultivaron con gran cariño: célebre es *El rey de los alisos*, de Goethe.

Los *poemas épico-burlescos*, adoptando el tono solemne de la poesía heroica, tratan asuntos insignificantes o ridículos; es decir, son *parodias* o imitaciones burlescas de los poemas heroicos. *La Batracomiomaquia*, durante mucho tiempo atribuida a Homero, canta la lucha sostenida entre las ranas y los ratones; la *Gatomaquia*, de Lope de Vega, pinta las rivalidades entre los gatos Marramaquiz y Micifuf, enamorados de Zapaquilda, hermoso ejemplar de la feminidad gatuna. Otra muestra del género, totalmente desusado en los últimos siglos, es la *Mosquea*, de Villaviciosa.

Poemas épico-didácticos

Didascálica es la exposición poética de enseñanzas o teorías. En las obras didascálicas hay géneros cercanos a la poesía épica, bien por semejanzas formales, bien por la existencia de una acción narrada, y siempre por la apariencia objetiva que adoptan. Otros géneros, de acento personal muy marcado, están más próximos a la lírica.

El *poema didáctico* extenso, parecido en su forma a los épico-heroicos, aparece ya en el período arcaico de la literatura griega, con la *Teogonía* o genealogía de los dioses y *Los trabajos y los días*, ambos debidos a Hesíodo. Los primeros filósofos helénicos expusieron sus doctrinas en forma poética. Pero la consolidación del género ocurre en la literatura latina con dos obras maestras: *De rerum natura*, de Lucrecio, que presenta con ardiente entusiasmo las doctrinas filosóficas y cosmogónicas de Epicuro, y las *Geórgicas*, de Virgilio, tratado de agricultura con admirable poetización de la Naturaleza. Las imitaciones modernas son, por lo general, de escaso valor. Interés especial ofrecen las *Artes poéticas* más que por su belleza propia, a causa de las teorías literarias y estéticas que defienden; entre ellas merecen citarse la de Horacio, en forma epistolar *(Epístola ad Pisones)*, que fue una de las máximas autoridades desde el Renacimiento hasta el siglo xviii; la de Boileau, acabada expresión del clasicismo francés; y el *Arte nuevo de hacer comedias*, desenfadada y original, de Lope de Vega.

La poesía *gnómica* está constituida por máximas que condensan las enseñanzas morales aprendidas por la experiencia. En la Biblia pertenecen a esta clase de obras el *Eclesiastés* y el *Libro de los Proverbios*, atribuidos a Salomón. En la Edad Media española hay los *Proverbios morales*, del judío don Sem Tob de Carrión (siglo xiv) y los del Marqués de Santillana (1398-1458).

La *fábula* o *apólogo* es un relato breve cuya acción sirve de ejemplo para que de ella se saque una consecuencia referente a la conducta humana, esto es, una *moraleja*. Frecuentemente los personajes de la historieta son animales, pero no es condición necesaria. Las fábulas abundan en la literatura india, reunidas en colecciones como el *Pañchatantra* y el *Hitopadesa*: de la India pasaron muchos apólogos al mundo árabe, que los transmitió al occidental, como sucedió con la colección *Calila* y *Dimna*, traducida al castellano por orden de Alfonso X. En Grecia son célebres las fábulas atribuidas a Esopo, y entre los latinos, las de Fedro. Nuestra literatura medieval cuenta con dos grandes fabulistas, ambos del siglo XIV: el príncipe don Juan Manuel, que reúne más de cincuenta apólogos en la intencionada prosa de su *Libro de Patronio* o del *Conde Lucanor*, y Juan Ruiz, Arcipreste de Hita, que incluye unos treinta en los versos de su *Libro de Buen Amor*. Entre los europeos modernos ninguno igual al francés La Fontaine (1621-1695): los españoles más notables son Iriarte (1750-1791) y Samaniego (1745-1801).

XVII

Poesía lírica

La poesía lírica y su evolución

Poesía lírica es la que expresa los sentimientos, imaginaciones y pensamientos del autor; es la manifestación de su mundo interno y, por tanto, el género poético más subjetivo y personal. Hay lirismo recluido en sí, casi totalmente aislado respecto al acaecer exterior; pero más frecuentemente el poeta se inspira en la emoción que han provocado en su alma objetos o hechos externos; éstos, pues, caben en las obras líricas, bien que no como elemento esencial, sino como estímulo de reacciones espirituales. Así, en la oda «Y dejas, Pastor santo», Fray Luis de León trata de la Ascensión del Señor, que envuelto en una nube va ocultándose a las miradas de los hombres; pero el fondo del poema es el sentimiento de desamparo que acomete a Fray Luis al pensar en el término de la presencia sensible de Jesús en la tierra.

El carácter subjetivo de la poesía lírica no equivale siempre a individualismo exclusivista: el poeta, como miembro integrante de una comunidad humana —religiosa, nacional o de cualquier otro tipo— puede interpretar sentimientos colectivos.

En relación con los demás géneros de poesía, la lírica se distingue por su brevedad, notable incluso en las composiciones más amplias; por la mayor flexibilidad de su disposición, que sigue de cerca los arranques imaginativos o emocionales sin ajustarse a un plan riguroso; y por su gran riqueza de variedades, mucho mayor que la ofrecida por la épica o el teatro.

El nombre de poesía lírica proviene de que entre los griegos era cantada al son de la lira. Aunque sigue siendo destinada al canto en sus manifestaciones más sencillas y populares, la lírica sabia, al hacerse más personal y compleja, fue perdiendo el carácter musical hasta quedar reservada a la lectura o recitación.

La lírica culta aparece casi siempre después que la epopeya. No es de extrañar, pues su florecimiento requiere una sociedad que no se interese únicamente por hazañas guerreras, sino que atienda asimismo a otros aspectos menos grandiosos, pero también menos primitivos, de la Humanidad. En Grecia el apogeo de la lírica en los siglos VII y VI antes de Jesucristo coincide con la decadencia de la epopeya. En esas dos centurias se fijan los géneros líricos y las correspondientes formas de versificación. Los refinados poetas de la época alejandrina, e igualmente los latinos, imitan la lírica griega anterior.

En la Edad Media, así como la épica responde al ambiente de los estados bárbaros y comienzos del feudalismo, la lírica trovadoresca nace con la vida cortés: la mujer aparece idealizada, convertida en objeto de un amor que tiene aspectos de rendida admiración. Desde el Mediodía de Francia, cuna de su nacimiento, la poesía de los trovadores se extiende a toda Europa entre los siglos XII y XV. La idealización del amor culmina con los poetas italianos del *dolce stil nuovo*, que transforman a la amada en ser angélico o símbolo de regeneración espiritual, como hace Dante en los poemas de su *Vita nuova*. Después otro poeta italiano extraordinario, Petrarca (1304-1374), ahonda y humaniza el análisis de los estados de alma y los expresa con nítida perfección formal, a la que no son ajenos el ejemplo y reminiscencias de la antigüedad. Los clásicos grecolatinos y Petrarca han sido los maestros de la lírica moderna: durante cuatro siglos se han repetido en las diversas literaturas europeas los temas petrarquescos del amor espiritualizado y el análisis del propio espíritu; las odas de Horacio y la pastoral virgiliana han sido fuente inagotable de imitaciones hasta época más cercana aún. La poesía del Renacimiento trató de armonizar las dos corrientes, acomodando a veces formas estróficas del petrarquismo a los géneros grecolatinos redivivos.

Desde el Romanticismo la lírica se ha hecho más personal, independiente y varia. Los tipos de composición dejan de poseer la fijeza y consistencia de los géneros clásicos. Junto al poema extenso de tema premeditado surge el *lirismo de circunstancias*, preconizado por Goethe y cultivado por los románticos alemanes e ingleses, y por Heine, nuestro Bécquer, Verlaine, etc., en composiciones breves, nacidas al calor de la emoción momentánea. No ha desaparecido, sin embargo, el poema lírico de mayores dimensiones, ya esté concebido como entidad única, ya como conjunto de creaciones autónomas, pero afines. Buena muestra de ello son *El Cristo de Velázquez*, de Unamuno, y el *Llanto por la muerte de Ignacio Sánchez Mejías*, de García Lorca.

Poemas líricos mayores

El *himno* es una composición solemne destinada al canto, ya sea éste íntegramente coral, ya alternen la intervención de un solista y la del coro; expresa sentimientos o ideales religiosos, patrióticos, guerreros, políticos, etc., de una colectividad. En Grecia, sobresalen los himnos atribuidos a Homero, y entre los latinos el *Carmen Saeculare de Horacio*, todos ellos de carácter religioso. La inspiración cristiana posee un rico y hermosísimo himnario, entre cuyas producciones destacan las del zaragozano Prudencio, el cantor de los mártires.

141

En época moderna, el de Schiller (1759-1805) *A la alegría* inspiró a Beethoven su espléndida sinfonía coral.

La palabra griega *ode* significaba canto, y se aplicaba en la antigüedad a obras líricas de varia índole: eran odas las sencillas, pero intensas, canciones amorosas de Safo, las arrebatadoras y grandilocuentes composiciones que Píndaro dedicaba a los vencedores en los juegos olímpicos y las serenas o insinuantes reflexiones de Horacio. En el Renacimiento *oda* sirvió para distinguir el poema lírico de corte clásico, diferenciándolo de los géneros trovadoresco-petrarquistas. Modernamente designa la composición lírica personal de alguna extensión y tono elevado, cualquiera que sea el asunto. En la literatura española las formas de versificación más usadas hasta los comienzos del siglo XIX fueron la estancia, la lira, la silva y la estrofa sáfica; sobresalen como autores de odas Fray Luis de León, Fernando de Herrera y los hermanos Argensola en el Siglo de Oro. Quintana en el neoclasicismo y Espronceda entre los románticos.

Elegía es el poema lírico extenso que expresa sentimientos de dolor, bien sea ante una desgracia individual, bien ante una calamidad de tipo colectivo. En España, desde el Renacimiento hasta el fin del neoclasicismo se usaron para la elegía los tercetos, el verso libre, la estancia y la silva. Poetas elegíacos famosos son, entre los españoles, Herrera *(A la pérdida del rey Don Sebastián)*, Rodrigo Caro *(A las ruinas de Itálica)*, etc. Aunque no responden al tipo de la elegía, pueden incluirse en el género las *Coplas a la muerte de su padre*, de Jorge Manrique, y el *Canto a Teresa*, de Espronceda.

De origen trovadoresco es la *canción* amorosa, poema de bastante extensión que terminaba con una estrofa más breve que las otras *(envío)*, en la cual el autor se dirigía al mismo poema o aludía a él. En Italia, la canción adquirió su forma definitiva en estancias, que el petrarquismo de Boscán y Garcilaso trajo a España. En nuestro Siglo de Oro se daba el nombre de *canción* a toda poesía escrita en estancias o liras, ya fuera amorosa, ya se tratara de una oda o elegía de otro carácter. La vaguedad del término ha hecho que *canción* sea utilizado con valor impreciso y cambiante en la poesía moderna.

Poemas líricos menores

En los poemas líricos breves el carácter de las obras está generalmente asociado al metro. Así los géneros suelen corresponder a las formas de versificación: el *soneto*, apto para ser labrado primorosamente, reclama densidad de contenido y disposición hábilmente acomodada a la rotundidad propia de la estrofa; el *romance lírico*, gracias a su ágil fluidez, permite la divagación soñadora y el juego burlón; la *letrilla* y el *villancico* son más ligeros, pero la insistencia del estribillo hace que giren alrededor de una idea, como amplificación suya: la *glosa* tiene carácter ingenioso o intelectualista.

De procedencia italiana es el *madrigal*, poesía muy breve de asunto amoroso, con un pensamiento ingenioso o delicado y escrita de ordinario en silva. Madrigalistas famosos son Gutierre de Cetina, Luis Martín de la Plaza y Pedro de Quirós.

La *anacreóntica* u oda nacreóntica es un poema grácil que invita a gozar los placeres sensuales del vino y el amor. Debe su nombre a que su primer cultivador fue el griego Anacreonte (siglo VI antes de J.C.), muy imitado en la época alejandrina y después en el neoclasicismo. Su forma habitual es la del romance, heptasílabo las más veces, otras octosílabo.

En la lírica moderna el poema breve, considerado antes como género secundario, ha adquirido creciente importancia. Ello se debe al cambio de orientación poética iniciado con las *Rimas* de Bécquer y seguido luego por Rosalía de Castro, Antonio Machado y Juan Ramón Jiménez. En vez de la oda larga, estos poetas

143

prefieren rasgos sobrios, tensos, que dejen en el alma profundas resonancias; en lugar de la mención exhaustiva y engalanada, la contención emocionada y sugerente. Los versos se combinan en formas que no los aprisionan con módulos exactos, sino que, por el contrario, acentúan su levedad: silva, rima asonante, verso libre. La poesía se hace así más íntima y concentrada.

La lírica de tradición popular

Además de ser la patria del *Romancero*, España es uno de los países más ricos en canciones líricas tradicionales. Este caudal poético transmitido de boca en boca ha ejercido notable influencia en la poesía culta, y a su vez ha sido dignificado por ella. Ya en los siglos XI y XII cancioncillas mozárabes de enamorada servían de remate o *jarchya* a ciertas composiciones *(muashahas)* de poetas árabes y hebreos, no obstante estar compuestas, total o parcialmente, en lengua romance. Después, en los siglos XIII y XIV las *cantigas de amigo* gallegas y portuguesas reelaboran la tradición lírica popular del noroeste hispano. En el siglo XV el Marqués de Santillana recoge algunos estribillos populares castellanos. Juan del Encina, en tiempo de los Reyes Católicos, y el *Cancionero de Palacio* pocos años después, señalan el gusto renacentista por la canción tradicional, que sin decaer en el siglo XVI, culmina hacia el 1600, sobre todo con Lope de Vega y Góngora. Tras la frialdad del neoclasicismo, el siglo XIX trae la afición por el folklore o sabiduría popular; empiezan a recogerse canciones regionales y, a imitación de ellas, poetas cultos componen seguidillas y coplas. La poesía contemporánea, penetrada de la tradición antigua y moderna, se inspira frecuentemente en el lozano manantial de la canción popular.

En los capítulos XIII y XIV se han estudiado las principales formas usadas en la lírica tradicional: ya en las *jarchyas* aparecen ejemplos de copla y seguidilla, y cancioncillas de dos o tres versos como las que sirvieron de estribillo a los villancicos o de estrofa inicial a las composiciones paralelísticas. En cuanto a los asuntos, no hay aspecto fundamental de la vida que no tenga su reflejo: hay canciones de cuna o *nanas*, de amor, de bodas; unas, compañeras del trabajo, hablan de la siega, la vendimia, el vareo de la aceituna, la pesca y los riesgos marineros; otras celebran el resurgir de la Naturaleza en la primavera, el rescoldo pagano de las fiestas de Mayo, la noche de San Juan con la cogida del trébol simbólico, las romerías, alegres y tumultuosas bajo capa de devoción. En la canción andaluza —el cante hondo— hay marcada preferencia por temas elementales como la madre, el amor trágico, la muerte.

Entre los tipos de canción popular desaparecidos hoy se cuentan la *serranilla* o *canción de serrana* y la *endecha*. Como antaño los caminos eran dificultosos, en especial los pasos de las montañas, mozas conocedoras del terreno se ofrecían a guiar a los viajeros, salteándolos a veces previamente. Las *serranillas* trataban de estos encuentros y de los inevitables lances de amor a que daban lugar:

> Salteóme una serrana
> Juntico al pie de la cabaña.
> Serrana, cuerpo garrido,
> Ojos garzos, rostro bellido,
> Salteóme en escondido
> Juntico al pie de la cabaña.

La *endecha* era una elegía popular en versos cortos que no necesitaban ajustarse a la fórmula de romance heptasílabo, aunque éste haya heredado el nombre de endecha. De fines del siglo xv parece datar la siguiente, anónima, dedicada a la muerte de Guillén Peraza, uno de los conquistadores de las islas Canarias:

145

Llorad, las damas,
Sí Dios os vala:
Guillén Peraza
Quedó en La Palma,
La flor marchita
De la su cara.
Tu suelo rompan
Negros volcanes;
No veas placeres,
Sino pesares;
Cubran tus flores
Los arenales.

No eres Palma,
Eres retama,
Eres ciprés
De triste rama,
Eres desdicha,
Desdicha mala.
Guillén Peraza,
Guillén Peraza:
¿Dó está tu escudo?
¿Dó está tu lanza?
Todo lo acaba
La mala andanza.

La poesía bucólica

En épocas de refinada civilización urbana prende en las gentes de las ciudades el afán de soñar una vida más sencilla y cercana a la Naturaleza. Tal es el origen de la poesía *bucólica* (del griego *boukolos* «boyero») o pastoril, que presenta, idealizadas, escenas o diálogos entre personajes rústicos. Nació la poesía bucólica en el período alejandrino de la literatura griega, con Teócrito de Siracusa (siglos III-II antes de J.C.). La constitución definitiva de la pastoral es la obra del latino Virgilio, cuyas *Églogas*, bajo el disfraz campesino, aluden a hechos de la actualidad política romana o a circunstancias particulares del autor y sus amigos; pero sin restar sinceridad a un intenso sentimiento de la Naturaleza. La égloga virgiliana, ya limitada a un relato, ya a la intervención, sucesiva o dialogada, de dos o más pastores, ya con una acción dramática elemental, florece extraordinariamente desde el Renacimiento hasta fines del siglo XVIII. En España, tras algunos intentos de Juan del Encina y otros, la poesía bucólica llega a su cumbre con Garcilaso de la Vega, a quien imitan infinitos seguidores. Desarrollados sus elementos teatrales, la égloga se convierte en *drama pastoril*, del que son muestra acabada el *Aminta*, de Torcuato Tasso, y *El pastor fiel*, de

Guarini (1537-1612). La inspiración bucólica, en su forma tradicional, no sobrevivió al neoclasicismo, salvo en alguna imitación artificiosa.

La sátira, la epístola y el epigrama

Se da el nombre de *sátira* a la poesía que censura vicios, defectos o ridiculeces. La sátira más noble se eleva por encima de los casos individuales para criticar el vicio en general. En este sentido la creación de la sátira corresponde a los latinos, que fijan sus diversos tipos: el humorístico de Horacio, el austero de Persio y el violento y descarnado de Juvenal. En la Edad Media son notables satíricos el burlón Arcipreste de Hita y el grave canciller Pero López de Ayala; en el Siglo de Oro, los Argensola y Quevedo, y en el xviii, Jovellanos y Moratín. Los metros usados por nuestros clásicos fueron versos sueltos o tercetos encadenados.

La *epístola* poética no es simplemente una carta en verso. Es cierto que tiene a veces carácter confidencial o familiar; pero lo más frecuente es que aborde temas doctrinales, especialmente de asunto filosófico-moral o literario; hay también epístolas satíricas. Modelo indiscutible fueron las epístolas doctrinales de Horacio, imitadas por cuantos, desde el Renacimiento, han cultivado el género. En la literatura española las formas de versificación habituales son, como para la sátira, tercetos o versos sueltos. Destacan en nuestro Siglo de Oro las epístolas de don Diego Hurtado de Mendoza, la que Francisco de Aldana (1537-1578) dirige a Arias Montano, las de los Argensola y sobre todo la maravillosa *Epístola moral a Fabio*, definitivamente atribuida a Andrés Fernández de Andrada; en el siglo xviii son muy bellas las de Jovellanos.

El *epigrama* es una poesía breve cuyo nombre obedece a que en un principio estaba destinada a inscripciones conmemorativas y epitafios. Después pasó a tratar toda clase de asuntos, siempre en forma precisa y condensada, con dimensiones y rotunda exactitud semejantes a las del soneto, heredero del epigrama clásico en las literaturas modernas. El hispanolatino Marcial dio orientación satírico-burlesca al epigrama, reducido así a un trazo ridículo o ingenioso encerrado en pocos versos. En nuestras letras el epigrama no suele pasar de dos redondillas, dos quintillas o una décima. Sobresalen entre sus cultivadores Baltasar del Alcázar (1530-1606), Góngora, Quevedo, Nicolás y Leandro Fernández de Moratín, etc.

XVIII

Poesía dramática

El teatro como espectáculo y como obra literaria

Poesía dramática es aquella que en vez de relatar una acción, como la épica y la novela, la *representa*, es decir, hace que aparezca desarrollándose ante los ojos del público mediante un simulacro realizado por actores. La elección del asunto, el punto de vista desde el cual se enfoca, la manera de interpretarlo y los procedimientos de disposición y estilo son manifestaciones de la personalidad del autor; pero éste no revela directamente su manera de sentir y pensar, que no debe torcer la marcha natural del conflicto planteado en la obra ni hacer que los personajes dejen de responder en sus actos y palabras a los caracteres que se les atribuyen.

La obra dramática está concebida y dispuesta con miras a la representación teatral. Son excepcionales los casos en que no ocurre así; en su mayor parte se trata entonces de poemas o novelas dialogados, como el *Fausto*, de Goethe, la *Celestina*, o la *Dorotea*, de Lope de Vega, que no la llamó comedia ni tragicomedia, sino «acción en prosa», indicando su carácter irrepresentable. La finalidad escénica de las obras teatrales les impone determinadas condiciones. La unidad del asunto, deseable en toda creación literaria, es precisa aquí para evitar que la atención de los espectadores, dispersa en hechos inconexos, se debilite o desaparezca. La acción necesita *dinamismo:* la inmovilidad que insiste en una misma nota es propia de la lírica, pues acentúa la expresión intensa de un estado de alma; pero al teatro se va a presenciar un conjunto de hechos palpitantes de vida, cuya sucesión y fluctuaciones mantengan el interés. También se requiere *verosimilitud*, verdad artística profunda en el desarrollo de la acción y los caracteres: cada momento, cada rasgo debe tener motivación armónica en lo que antecede. Pero esta verosimilitud no implica forzosamente realismo, pues la obra dramática no es reproducción de la realidad, sino interpretación suya, por lo cual ofrece siempre convencionalismos. El autor puede contar con la fantasía de los espectadores, dispuesta a colaborar con él situándose en el plano conveniente, ideal o real, y a admitir los supuestos necesarios.

El interés que despierta la obra teatral puede nacer de la acumulación de hechos, de la complicación de la trama o de la atracción ejercida por el certero trazado de los caracteres. El procedimiento de acumular hechos, apto para halagar la imaginación de un público ingenuo, es por sí solo demasiado infantil y domina únicamente en épocas de inmadurez o decadencia. La complicación de la trama entretiene e intriga; puede bastar únicamente en obras ligeras, como *La comedia de las equivocaciones*, de Shakespeare, o *Don Gil de las calzas verdes*, de Tirso de Molina. La creación de caracteres es el don supremo del dramaturgo, que ha de infundir vigor a sus personajes, ahondar en sus almas y no presentarlos falsamente unilaterales, como acartonados portadores de una sola cualidad, sino complejos, contradictorios a veces, como se dan en la realidad humana. Sin embargo, una obra de penetrante análisis psicológico, pero de acción escasa o lánguida, rara vez alcanzará éxito. Lo deseable es que acción y caracteres despierten conjuntamente el interés.

En la acción dramática, igual que en la épica, suelen distinguirse la exposición, el nudo y el desenlace. En la comedia latina, en algunas obras del teatro medieval y humanístico y aun en otras más recientes, la exposición se hacía por medio de un prólogo en que un personaje explicaba el argumento en sus líneas generales. Hoy se prefieren recursos más naturales y difíciles: el diálogo y el desarrollo de los hechos van descubriendo a los espectadores los antecedentes necesarios. El nudo comprende la casi totalidad de la acción puesta en escena; sus alternativas y complicaciones mantienen la incertidumbre respecto al desenlace, el cual, aunque sea resultado lógico del conflicto planteado, puede sorprender por la manera de producirse.

La obra teatral se divide en *actos*, jalonados por interrupciones de la representación que sirven de descanso a actores y espectadores. El número de actos oscila entre cinco y tres en las tragedias, comedias y dramas. En el teatro latino, en el inglés de Shakespeare y en el francés de los siglos XVII y XVIII los actos son cinco; en el español del Siglo de Oro recibieron el nombre de *jornadas* y se redujeron a tres. Los géneros menores rara vez pasan de dos actos, y de ordinario se limitan a uno. Cada acto puede comprender uno o varios *cuadros*, porciones continuas de acción que aparecen desarrolladas en un mismo lugar. Las *escenas* son los fragmentos determinados por las entradas y salidas de los personajes.

La forma propia de la poesía dramática es el diálogo, ora en verso, ora en prosa. El verso ha dominado secularmente, no sólo en obras de proyección idealista, sino también en las comedias de costumbres. Pero en los tiempos modernos un creciente afán delimitador lo ha ido eliminando del teatro realista y lo ha confinado al poético. No es el verso el único convencionalismo teatral que se halla en decadencia: también lo están los *parlamentos*, largas y brillantes intervenciones narrativas con suspensión del diálogo; los *monólogos*, reflexiones hechas en alta voz sin que haya interlocutores; y los *apartes*, frases que, puestas en boca de un personaje, se suponen

151

no oídas por los demás, y que sirven para enterar al público de los pensamientos o intenciones secretas de quien las dice.

La obra dramática se convierte en espectáculo mediante la *representación*, cuyos artífices son los actores. El buen actor debe identificarse con el carácter y pasiones del personaje que encarna, y crear la correspondiente realización sensible valiéndose del acento, el gesto y la actitud. El arte *histriónico* o de los actores comprende, pues, la *declamación* y la *mímica*, y tiene por complemento la *caracterización* física y el vestuario adecuados. Las artes plásticas contribuyen a la representación teatral con el decorado; y la música, aparte de las obras donde es factor esencial, como la ópera o la zarzuela, tiene intervención mayor o menor en las otras. En el teatro español del siglo XVII es frecuente que la idea general de la obra o sus momentos culminantes estén subrayados por canciones.

Géneros dramáticos mayores: tragedia, comedia y drama

A las categorías estéticas de lo trágico, lo cómico y lo patético, de las cuales se ha tratado ya (capítulo II), corresponden los tres géneros teatrales mayores: la *tragedia*, la *comedia* y el *drama*.

La *tragedia* presenta el conflicto sostenido entre un héroe y la adversidad ante la cual sucumbe. La sublimidad del asunto requiere idealización de ambiente y lenguaje elevado. El desenlace es por lo general doloroso y recibe entonces el nombre de *catástrofe*.

La *comedia* es juego alegre que busca el regocijo mediante la presentación de conflictos supuestos, situaciones falsas o personajes ridículos. Pero desde muy pronto ha crecido en dignidad hasta convertirse en el reflejo teatral de la vida diaria, con problemas y sinsabores auténticos, aunque la acción se resuelve casi siempre con un desenlace feliz.

La palabra *drama*, que en griego significa «acción», posee el sentido genérico de «obra teatral», cualquiera que sea su carácter; pero en acepción más concreta, que es también la más usada, designa un género determinado que tiene, como la tragedia, un conflicto efectivo y doloroso; pero no lo sitúa en un plano ideal, sino en el mundo de la realidad, con personajes menos grandiosos que los héroes trágicos y más cercanos a la humanidad corriente.

Por los temas tratados, la comedia y el drama pueden ser históricos, religiosos, de costumbres urbanas o rurales, etcétera. Obras de *tesis* son las que se proponen defender una teoría política, filosófica o moral; las producciones de esta clase son también denominadas *teatro de ideas*. La comedia o drama *psicológico* concentra la atención en el análisis del alma y reacciones de sus personajes. La tragedia ofrece menor variedad, ya que por su misma índole reclama asuntos prestigiosos, consagrados por la historia, la leyenda o la tradición literaria.

El teatro grecolatino: sus orígenes y caracteres

Los orígenes del teatro griego se enlazan con el culto tributado a Baco o Dionisos, dios del vino. En las fiestas dionisíacas las gentes cantaban poemas relativos a las leyendas de Baco y a las desdichas de los héroes; estos himnos, tumultuosos y arrebatados en un principio, se llamaban *ditirambos*, y en ellos alternaban un solista y un coro. Bien porque los que integraban el coro solían disfrazarse de sátiros —seres mitológicos medio hombres medio chivos, que se creían formaban parte del cortejo del dios—, bien porque se inmolaba a éste un macho cabrío, animal enemigo de la vid, el ditirambo acabó por tomar el nombre de *tragedia*, que vale tanto como «canto de macho cabrío». El solista se convirtió en representante, pues en vez de narrar los hechos del héroe, asumió su papel. Más tarde intervinieron otros personajes, hasta poder hallarse tres a la vez en escena. Entre tanto la tragedia se dignificó, haciéndose más grave y presentando como nota esencial la lucha del protagonista contra el destino aciago. El coro era un personaje colectivo que alguna vez tomaba parte en la acción; pero en general permanecía al margen de ella, expresando los sentimientos de la comunidad ante la actitud y desgracias de los héroes. Los tres grandes trágicos griegos pertenecen al siglo v antes de Jesucristo, y son Esquilo, el de más alto sentido religioso; Sófocles, el que traza personajes de mayor grandeza moral, y Eurípides, que presenta desdichas acarreadas, más que por el destino, por el choque violento de las pasiones humanas.

La comedia nació también en las fiestas báquicas, al parecer en las algazaras que acompañaban a la vendimia. El nombre de *comedia* ha sido interpretado como «canto de las aldeas» y «canto de los festines». La *comedia antigua* de los griegos conservaba un coro que, a diferencia del trágico, era burlesco y llamativo, de acuerdo con el carácter de las obras; así en las comedias de Aristófanes (siglo v antes de Jesucristo) el coro es de ranas, de aves, de nubes, de avispas, de carboneros, etc. Más tarde, en el siglo iv, nace la llamada *comedia nueva*, cuyo principal autor es Menandro; se trata de un género teatral próximo ya a nuestra comedia de costumbres, con fino análisis psicológico y desprovista de coro.

En Roma, el único teatro nativo eran farsas improvisadas *(mimos y atelanas)* sin elaboración literaria al principio. La tragedia y la comedia fueron cultivadas, por imitación de la literatura griega, en los siglos iii y ii antes de Jesucristo. Apenas quedan restos de las tragedias compuestas por los autores latinos de esta época; muy posteriores son las del hispanorromano Séneca (siglo i después de Jesucristo), destinadas a la lectura. En la comedia sobresalieron Plauto, insuperable en su habilidad para despertar de cualquier modo la risa de los espectadores, y Terencio, indulgente conocedor de las almas, a quien pertenece la frase *homo sum et humani nihil a me alienum puto*, «soy hombre y no considero ajeno a mí nada que sea propio de los hombres».

Los teatros grecorromanos estaban al descubierto y eran de forma semicircular, con una gradería *(cavea)* donde se sentaba la multitud. En el centro quedaba un espacio llano *(orchestra)*, en el cual se situaba el coro. Frente a la cavea se alzaba un muro adornado con columnas y estatuas, y ante él una plataforma *(scaena)* donde se efectuaba la representación. Los actores (en griego *hypócritas*) usaban calzado y máscaras peculiares de cada género: en la tragedia calzaban *coturnos* que realzaban la estatura, y las máscaras eran hieráticas y severas; en la comedia llevaban zuecos y máscaras grotescas.

El teatro medieval. Los autos sacramentales

En la Edad Media el teatro grecolatino había caído en el olvido general. El teatro medieval tiene otros orígenes.

Del teatro profano sabemos que en España existían los *juegos de escarnio*, que debían ser de carácter licencioso a juzgar por las condenaciones de que fueron objeto: no se ha conservado ninguno. Fuera de España hay *juegos*, *farsas* y *moralidades* o alegorías profanas, géneros abundantemente atestiguados más tarde entre nosotros, durante el siglo XVI.

Más trascendencia literaria tuvo el teatro religioso. Como ceremonias litúrgicas conmemorativas del Nacimiento y Pasión del Señor surgieron representaciones dramáticas que primero se hacían en el interior de las iglesias, más tarde en los atrios y finalmente en las plazas públicas. Los asuntos se ampliaron, comprendiendo multitud de episodios bíblicos, de vidas de santos y temas alegóricos. En España estas obras reciben el nombre de *autos*. De fines del siglo XII es un fragmento del *Auto de los Reyes Magos*, único resto de teatro litúrgico español conservado en su forma primitiva. Por tradición que arranca del siglo XV viene transmitiéndose el venerable *Misterio de Elche*, que anualmente se representa dentro de la iglesia en la festividad de la Asunción de la Virgen. Las representaciones se hacían con algún artificio escénico, bien con tablados de tres pisos que correspondían al infierno, la tierra y la gloria, bien distribuyendo la extensión de un solo tablado para los distintos escenarios precisos.

Andando el tiempo el teatro religioso medieval tuvo importante descendencia en nuestras letras. Desde Juan del Encina (1469-1529) hasta la creación del gran teatro nacional por Lope de Vega no se interrumpe la producción de *autos, representaciones* y farsas religiosas. De ellas arrancan las posteriores comedias de santos, los *autos historiales*, sobre temas del Antiguo o Nuevo Testamento, y sobre todos los *autos sacramentales*. Son éstos *moralidades* u obras alegóricas referentes a la Eucaristía y a las verdades fundamentales del catolicismo. Aunque Lope de Vega, Tirso de Molina, Valdivielso y otros dejaron muy bellas muestras de auto sacramental, el maestro indiscutible es Calderón de la Barca (1601-1680). El racionalismo enciclopedista del siglo XVIII atacó a los autos sacramentales hasta lograr que Carlos III los prohibiera en 1765.

XIX

Poesía dramática
(conclusión)

Las unidades dramáticas. Libertad y clasicismo

En los siglos XVI y XVII, cuando las literaturas modernas llegaban a su madurez, la admiración por la antigüedad y el prurito regulador peculiares del Renacimiento plantearon una cuestión de importancia decisiva para la orientación futura del teatro: la de las llamadas *unidades dramáticas*.

Aristóteles había recomendado que la acción de la tragedia fuese una sola y había observado que en el teatro griego se procuraba que la duración supuesta para el desarrollo de la acción cupiera «dentro de un giro de sol», en un día, o rebasara en poco este límite. Los preceptistas del siglo XVI convirtieron en norma las indicaciones de Aristóteles, postulando las unidades de acción y tiempo, y añadieron una traba más, la unidad de lugar: la obra teatral había de tener una acción única cuyos hechos no ocuparan más de un día y ocurrieran todos en el mismo sitio. Además, como ni en el teatro griego ni en el latino se mezclaban elementos trágicos y cómicos en una misma obra, se defendió a rajatabla la separación de los dos géneros.

Era el momento en que tras un período de tentativas, los tres grandes teatros de la época, el inglés, el español y el francés, se hallaban en trance de fijar su forma definitiva. Se encontraban ante el dilema de obedecer a los teorizantes aristotélicos o, por el contrario, recabar para el teatro nuevo independencia respecto del grecolatino. El teatro inglés y el español optaron por la libertad artística, juntando lo trágico y lo cómico y haciendo caso omiso de las unidades dramáticas. El teatro francés, en cambio, se decidió por el más riguroso clasicismo.

El teatro inglés de la época isabelina

A fines del siglo XVI, en tiempo de la reina Isabel, el teatro inglés reúne un nutrido grupo de dramaturgos que poseen fuerte sentido trágico. La figura suprema es Guillermo Shakespeare (1564-1616). Sus obras se dirigen a un público abigarrado, del que forman parte desde el gran señor y el erudito hasta el menestral ignaro. Plantea cuestiones pavorosas en torno al destino del hombre, profundiza en las mayores simas del corazón humano, pinta con extraordinario poder la violencia de las pasiones y no evita la presentación de horrores en escena. Aparecen juntos, en extraña hermandad, el terror y la ironía, el buen sentido y la locura. Otras veces se abren las rutas hacia el mundo del ensueño, con hadas, geniecillos y magos, suaves idilios y aventuras levemente melancólicas, o se desborda la alegría en peripecias intrascendentes. Gran parte de los asuntos proceden de la historia y leyendas nacionales; otros se inspiran en la historia clásica, en cuentos y novelas, o son completamente fantásticos. La acción, a menudo complicada con acciones secundarias, va siguiendo el desarrollo de los hechos, sin limitación de tiempo y con abundantes cambios de lugar.

El teatro español del Siglo de Oro

Al tiempo que el teatro inglés alcanzaba su máximo esplendor, el español recibió su pauta definitiva con la riquisíma producción de Lope de Vega (1562-1635). El espectador acudía a las representaciones deseoso de verse reflejado en la escena; quería encontrar plasmados en fábula dramática sus sentimientos e ideas, su visión del mundo y de la vida; ansiaba además soñar, calmar su sed de acción intensa. Y Lope de Vega cumplió a la perfección las apetencias de su público. Consagró y consolidó los ideales hispánicos; en sus comedias lo sobrenatural se hizo tan sensible como lo terreno; desfilaron por las tablas la historia y la epopeya patrias con sus héroes, acompañados en ocasiones por los tradicionales versos del romancero viejo; el amor, unas veces violento, otras quintaesenciado a la manera petrarquista; el honor, fuente de patéticos conflictos, ya fuera espontánea manifestación de la dignidad humana, ya apareciera aguzado con sutiles exigencias: todo un mundo apasionado, hiperbólico e idealizado.

Como en el teatro inglés, la acción discurría con un procedimiento semejante al del cine actual, sin observar las unidades de lugar y tiempo. Los asuntos constaban frecuentemente de acciones secundarias enlazadas con la principal. Se entremezclaba lo grave con lo festivo, y era típica la actuación del *gracioso* o *figura del donaire*, que a menudo parodiaba los hechos y dichos del protagonista, a quien servía de criado. Las obras recibían el nombre genérico de *comedias*, aunque muchas veces eran verdaderos dramas y hasta se acercaban a la tragedia. Hay abundantísimo número de caracteres admirablemente dibujados; pero tanto o más que a lo psicológico se atendía al *enredo* o complicación de la trama. Como se ha dicho, eran tres los actos o *jornadas*. La versificación era variada y rica, adaptando los metros a las situaciones: el soneto para los monólogos, el romance en los parlamentos, redondillas y quintillas en los diálogos movidos, décimas, octavas, versos sueltos, etc. En la expresión, llena de lirismo, abundaban metáforas e ingeniosidades. Y el lenguaje se amoldaba, ora al tono brillante y conceptuoso de los galanes, ora a la ingenuidad del labriego o al desplante socarrón del criado.

Concebida y realizada así, la fórmula teatral de Lope de Vega se mantuvo con pleno vigor y escasas variaciones mientras duró el esplendor de nuestra escena, que no decae hasta fines del siglo xvii. Guillén de Castro (1569-1631), Tirso de Molina (1583-1684) y Vélez de Guevara (1579-1644) son los dramaturgos más cercanos a Lope en tiempo y orientación. Ruiz de Alarcón (1581-1639) cultiva la comedia con enseñanza moral. Después Calderón da sentido trascendental al teatro, haciendo que las obras sean frecuentemente símbolos de tesis filosóficas y religiosas; pero al mismo tiempo la comedia se estiliza, aumentando en convencionalismos hasta convertirse en juego artificioso o fantasmagoría irreal; el lenguaje se hace fuertemente barroco. Rojas Zorrilla (1607-1648) y Moreto (1618-1669) completan el cuadro de los grandes autores teatrales de la época.

En cuanto al asunto, hay en la *comedia* española de los siglos xvi y xvii dramas teológicos y filosóficos; comedias y dramas históricos y novelescos; comedias de carácter, que se llaman *de figurón* cuando los rasgos del protagonista están abultados hasta la caricatura; de costumbres o de *capa y espada*, nombre que alude a la indumentaria de los caballeros en sus andanzas nocturnas; de santos, de *enredo*, pastoriles, mitológicas, etc.

Las representaciones se hacían en patios o *corrales*, sobre un tablado con decoración escasa o simplemente con cortinas. En tiempo de Calderón llegó a haber complicadas decoraciones y gran intervención de la tramoya. Se empleaba la luz solar y los locales estaban al descubierto. Las gentes de calidad presenciaban el espectáculo desde *aposentos* con balcones o ventanas; un aposento reservado a las mujeres se llamaba *la cazuela;* y de pie, a ras del suelo, estaba el público más irascible y temido por cómicos y autores, los *mosqueteros*.

El teatro cristalizó en Francia más tarde que en España e Inglaterra. Hasta muy entrado el siglo XVII se prolongó allí la vacilación entre la tragicomedia a la manera española y la imitación grecolatina.

El Cid, de Corneille, estrenado en 1636, constituyó el primer éxito resonante del clasicismo, aunque el asunto, procedente de *Las mocedades del Cid*, de Guillén de Castro, no se acomodó sin violencia a los requisitos de las tres unidades. La tragicomedia dejó de cultivarse y quedaron bien separados los campos: la tragedia, inspirada en la historia o la mitología, buscaba sus personajes entre príncipes o héroes y seguía de cerca los hábitos de la tragedia antigua; la versificación se fijó en pareados alejandrinos, y el lenguaje se hizo selecto y rotundo. La comedia situaba sus argumentos entre particulares y gentes llanas; era condición preferida la existencia de fin didáctico, corrigiéndose vicios o censurándose pretensiones contrarios al buen sentido; se usaba el alejandrino, pero también había comedias en prosa.

El clasicismo se impuso porque estaba en armonía con el espíritu de la sociedad francesa, más intelectual y equilibrado conforme avanzaba el siglo XVII. El público interesante para los autores teatrales era el de la corte y los salones, a quien atraía el reposado estudio de los caracteres, la detenida observación de sus facetas y alternativas. Todavía Corneille (1606-1684), muy influido por el teatro español, gusta de las tramas novelescas y accidentadas, aunque lo esencial en su obra sea el planteamiento de grandiosas luchas entre deberes y afectos. Pero en las tragedias de Racine (1639-1699) la acción es sobria, los choques de pasiones se analizan con técnica —diríamos— de cámara lenta, y no parece trabajosa la obediencia a las reglas clásicas. El arte de Racine, que acentúa finamente las notas conmovedoras sin abandonar la dignidad trágica, es dechado perfecto

161

del gusto francés en la época de Luis XIV, gusto exquisito y limitado.

Contemporáneo de Racine es Molière (1622-1673), uno de los más extraordinarios comediógrafos de todos los tiempos; aunque emplea todos los medios aptos para entretener y regocijar, sobresale en las comedias de carácter, dibujando tipos idealmente perfectos, irreales en su acabada encarnación de temperamentos y vicios; los mismos títulos revelan esta abstracción arquetípica: *El misántropo, El avaro, Tartufo* o *El hipócrita*.

Cuando Boileau formula en su *Arte poética* (1674) las normas del clasicismo, no hace más que recomendar lo intentado antes por Corneille y realizado en sus días por Racine y Molière. El ejemplo francés cundió por toda Europa; la mayor influencia se da en el siglo XVIII, aunque nutriéndose ya de glorias pasadas, pues las tragedias de Voltaire son débil sombra de las anteriores. En España, la escuela calderoniana había llegado a la extrema degeneración; pero el neoclasicismo, apoyado en la protección oficial, no logró afianzarse hasta 1770. Desde entonces hasta 1825, aproximadamente, se compusieron innumerables tragedias, aunque todas son mediocres y sin vida, fuera de la *Raquel*, de García de la Huerta, realmente valiosa. La comedia neoclásica docente llegó a la perfección con Leandro Fernández de Moratín (1760-1828), a veces caldeada por el sentimentalismo, como en la fina ñoñez de *El sí de las niñas*, escrita en prosa, igual que *La comedia nueva* o *El café*.

Nacimiento del drama realista. El teatro romántico

Mientras en España se implantaba el neoclasicismo, otras orientaciones alboreaban en Europa. Una está señalada por la aparición de la *tragedia burguesa* y la comedia irónicamente llamada *lacrimosa (comédie larmoyante)*. Se trata de obras cargadas de patetismo artificial y declamatorio que presenta casos dolorosos de la vida corriente con propósito de ejemplaridad. A pesar de que en su mayoría poseen valor escaso, interesan por marcar el principio del moderno drama realista. Entonces se generalizó el término *drama*.

Hacia la misma época empiezan a invadir la escena los asuntos tomados de la historia medieval. Lessing censura agriamente el teatro neoclásico francés y exalta el de Shakespeare. Siguiendo al coloso inglés, Goethe (1749-1832) y Schiller (1759-1805) crean el nuevo drama histórico, vigoroso y movido. Los hermanos Augusto Guillermo y Federico Schlegel hacen la apología del teatro calderoniano, que es traducido e imitado con entusiasmo en Alemania e Inglaterra. El retraso con que los países latinos adoptaron las innovaciones románticas se manifiesta especialmente en el teatro: hasta 1830, con el estreno del *Hernani*, de Víctor Hugo, no fue derrotado en Francia el clasicismo. En España el romanticismo logra prevalecer gracias al éxito de obras estrenadas entre los años 1834 y 1837 *(Macías*, de Larra; *La conjuración de Venecia*, de Martínez de la Rosa; *Don Alvaro o la fuerza del sino*, del Duque de Rivas; *El trovador*, de García Gutiérrez; *Los amantes de Teruel*, de Hartzenbusch) y sigue triunfante después con los dramas de Zorrilla *(Sancho García, El puñal del godo, Don Juan Tenorio, El zapatero y el rey*, etc.).

Caracteriza el drama romántico la preferencia por asuntos situados en la Edad Media y primeros tiempos de la Moderna, y el deseo de pintar con alguna fidelidad el ambiente de época. En Francia y España domina la acción truculenta, con pasiones arrebatadoras, personajes misteriosos, situaciones forzadas, conjuras, envenenamientos, suicidios y venganzas. Tanto en los dramas históricos o pseudohistóricos como en los de tema contemporáneo son frecuentes las protestas contra la sociedad y las acusaciones blasfemas contra el cielo. En la forma, hay especial complacencia en pisotear las reglas; se mezclan lo trágico y lo cómico, a veces también la prosa y el verso, y no se hace el menor caso de las tres unidades.

El teatro moderno

El drama romántico se agotó pronto. A mediados de siglo fatigaba ya la delirante sucesión de violencias, enmascarados, sayones y personajes siniestros. En todas las manifestaciones artísticas se hacía notar una progresiva acentuación del realismo. Así surgieron en los decenios siguientes a 1850 la *alta comedia* y el drama de costumbres. Es teatro que se ocupa de los problemas de la vida social, especialmente de los que en cada momento ofrecen más palpitante actualidad; el donjuanismo, la maledicencia, el afán de lucro, los lances de honor... Son casi siempre obras de tesis. Aunque Adelardo López de Ayala (1829-1879) y Echegaray (1832-1916) emplean todavía el verso, la prosa, más a tono con la cercanía de los asuntos, acaba por generalizarse. Los noruegos Ibsen (1826-1906) y Björnson (1832-1910), el español Galdós (1843-1920) y otros muchos amplían y profundizan el teatro realista, convirtiéndolo en índice de las inquietudes que agitan a la sociedad. Sin variación esencial las comedias y dramas de Benavente responden a las mismas directrices.

El verso ha encontrado el refugio en obras de carácter histórico y ambiente idealizado, que constituyen lo que hoy se llama *teatro poético*. El *Cyrano de Bergerac*, de Rostand; *En Flandes se ha puesto el sol*, de Marquina, o las *Voces de gesta*, de Valle-Inclán, pueden servir de ejemplo.

Obras teatrales menores

Son por lo general formas embrionarias de comedia. El *monólogo* es una composición representable en que interviene un solo personaje. La *loa* es obra de circunstancias, frecuentemente alegórica, escrita en alabanza de alguien o para conmemorar algún hecho. En el siglo xvii su representación precedía a la de la comedia principal. El *juguete cómico* intenta provocar la risa sin preocupación estética mayor.

Las obras teatrales breves más interesantes son, entre las de tema religioso, los *autos sacramentales*, de que ya se ha tratado (pág. 156); entre las profanas, el género que a lo largo de su evolución ha recibido los nombres de *paso*, *entremés* y *sainete*. A mediados del siglo xvi se llamaban *pasos* unos cuadros breves de argumento extremadamente sencillo y comicidad primitiva; en ellos sobresalía como autor y actor Lope de Rueda, a quien pertenece entre otros muchos el *Paso de las aceitunas*. Cervantes recordaba haber visto en su niñez a Lope de Rueda, inimitable en las caricaturas de bobos, negros, vizcaínos y otras figuras análogas. Más tarde, como los pasos se representaban en los entreactos de las comedias, fueron denominados *entremeses*, como los manjares que se tomaban entre dos platos. La acción se hizo más complicada que en los pasos, y la burla grotesca se afinó. Cervantes dejó entremeses que son verdaderas joyas de gracia maliciosa y alegre ironía, como *La guarda cuidadosa*, *El juez de los divorcios* o *El retablo de las maravillas*. Quiñones de Benavente, sin la genialidad de Cervantes, se orienta hacia el costumbrismo. Por otra metáfora semejante a la de *entremés*, la palabra *sainete* «bocado apetitoso» (de *saín*, «grasa, enjundia») pasó a designar el mismo género literario ampliado: el sainete es desde el siglo xviii una comedia breve —uno o, cuando más, dos actos de reducidas dimensiones— que retrata las costumbres populares con desenfado y complacido realismo. Magistrales son los sainetes de don Ramón de la Cruz (1731-1794), pintor del Madrid goyesco de majas y manolos, petimetres y chisperos. En el siglo pasado el sainete resurgió, acompañado muchas veces por la música, en el llamado *género chico*, con piezas tan llenas de sal como *La verbena de la Paloma*, de Ricardo de la Vega y el maestro Bretón. Después, el mejor sainetero ha sido Carlos Arniches.

Obras dramáticas musicales

Ya se ha indicado la intervención del elemento musical en la tragedia y comedia griegas, así como el papel reservado a las canciones en nuestro teatro del siglo XVII (página 152). Resta ahora tratar de géneros en que la cooperación de música y poesía constituye rasgo esencial. En ellos la importancia estética de la composición musical o *partitura* suele sobrepasar a la de la letra o *libreto*. Hay, sin embargo, excepciones notabilísimas, como las óperas de Wagner, extraordinario poeta a la vez que músico insigne. El canto supone un considerable aumento de convencionalismos, por lo que las obras dramáticas musicales son forzosamente de carácter más irreal que el teatro hablado.

La *ópera* es la obra teatral íntegramente cantada. Sus primeros tanteos surgen en Italia durante el siglo XVII, y en el XVIII cuenta ya con músicos como Gluck y Mozart y libretistas como Metastasio. Aunque dominan los temas graves o trágicos, hay también la ópera cómica o *bufa*. Los asuntos se tomaron primeramente de la mitología (el *Orfeo*, de Gluck, por ejemplo); después han sido aprovechadas las creaciones de la literatura anterior: *El Barbero de Sevilla* procede de una comedia de Beumarchais; *Otelo* y *Hamlet* son personajes shakesperianos; *Fausto* es arreglo del poema de Goethe. Wagner remozó las leyendas de la epopeya germánica *(Sigfredo, La Walkiria, El Ocaso de los Dioses)*, así como los temas del ciclo bretón *(Tristán* e *Iseo, Parsifal)*; Borodin, el poema ruso del *Príncipe Igor*. Los intentos españoles de ópera no han sido en general de gran valía.

En cambio, es género típicamente español la *zarzuela*. En un principio se dio este nombre a las fiestas teatrales de gran aparato escénico y abundante intervención musical que se celebraban en el palacio de la Zarzuela, en El Pardo, una de las residencias de la familia real en el siglo xvii. Las obras representadas eran de asunto mitológico al principio, como la incipiente ópera italiana; a este tipo responden *Eco y Narciso* y *La Púrpura de la Rosa*, de Calderón. En el siglo xviii la zarzuela empezó a tomar carácter costumbrista *(Las segadoras, Las foncarraleras*, de don Ramón de la Cruz); y desde la segunda mitad del siglo xix se entiende por zarzuela una comedia o sainete con partes habladas y partes cantables, cuya música es ordinariamente más ligera y popularista que la de la ópera.

En la *opereta* el canto no abarca tampoco la totalidad de la obra; pero en vez del sabor popular y costumbrista de la zarzuela, la opereta, de origen extranjero, busca sus asuntos en la frivolidad de supuestos ambientes cortesanos.

XX

La novela

Idealismo y realismo en la novela

Con el nombre de *novela* (del italiano *novella*, noticia, historia o cuento breve) se designan obras que pertenecen a la literatura de ficción, pero con muy vario carácter y fines divergentes. Como nota común ofrecen la de ser relato no histórico en prosa. Puede haber en la novela —ya insistiremos en ello— elementos históricos, pero a condición de que se relacionen con una acción imaginada.

Como la épica y el drama, la novela tiene acción y personajes. Coinciden también la épica y la novela en ser esencialmente narrativo-descriptivas; pero en la novela es muy importante la intervención del diálogo, con la viveza propia del coloquio teatral. Son *autobiográficas* las novelas escritas en primera persona, como si el protagonista mismo contara los hechos, y *epistolares* aquellas en que la acción se va exponiendo mediante una correspondencia supuesta.

En un principio la novela surgió como transformación —casi sólo prosificación— de la épica decadente. Las formas novelescas primitivas se proponían colocar la imaginación de los lectores en el mundo del acaecer caprichoso y fortuito, sorprender con lo extraordinario de las aventuras, dar cuerpo a lo imposible y alimentar la ilusión. Una evolución constante y progresiva ha ido acercando la novela al mundo de la realidad, hasta convertirla —con frase de Stendhal— en «espejo a lo largo de un camino», pintura exacta de lo que existe, con su imperfección e insignificancia también. El florecimiento de la novela así concebida, coincidente con la ruina de los poemas épicos y el desarrollo del teatro, es característico de los tiempos modernos, especialmente de los últimos siglos.

Clases de novela

Cabe distinguir, siguiendo a Ortega y Gasset, dos géneros fundamentales, casi contradictorios, en la novela. Comprende uno las infinitas variedades de relatos aventureros y narraciones situadas en ambiente fantástico o idílico, todo cuanto interesa por los personajes mismos, extraordinarios y atrayentes, o por la complicación de las peripecias. A ésta, que podríamos llamar novela ilusionista, pertenecen desde los libros de caballerías que secaron el cerebro de Don Quijote, y las ficciones pastoriles gratas a las gentes del siglo XVI, hasta las novelas de aventuras, policíacas y folletinescas que hoy sugestionan, en ocasiones con tinte de realidad, a públicos infantiles o despreocupados del goce artístico. El otro género es la novela propiamente realista, que no interesa tanto por las figuras presentadas y los hechos referidos, muchas veces semejantes a los que a cada paso nos ofrece la vida cotidiana, cuanto por la manera de pintarlos, por el veraz estudio de almas y ambientes. Sus dos variedades principales son la *novela psicológica*, primordialmente atenta al análisis de los caracteres, y la *novela de costumbres*, con miras preferentes a la fiel descripción de círculos sociales.

El ideal de la novela es que el autor proceda con absoluta objetividad, sin dividir a sus personajes en buenos y malos, sino pintándolos con la compleja mezcla de virtudes y miserias que ofrece la mayor parte de la Humanidad. Pero este sacrificio de lo subjetivo rara vez se logra plenamente. Hay, por de pronto, novelas de tesis, supeditadas a la demostración de una teoría ideológica, política o moral; en ellas es casi inevitable que el autor, tomando partido, irradie sus simpatías o repulsión sobre los personajes, como ocurre en algunas obras de Galdós, Alarcón y Pereda.

En razón del asunto y ambiente reflejados se podrán aplicar a la novela tantos adjetivos como aspectos hay en la vida y sociedad humanas: *caballeresca, pastoril, cortesana, de viajes, picaresca, burguesa, regional, rural,* etc. Saliéndose del presente, puede evocar el pasado *(novela histórica)* o imaginar el porvenir, como en la pintoresca novela seudocientífica de Verne y los vaticinios, serios o humorísticos, de Wells y Huxley.

Orígenes de la novela y su evolución hasta el siglo XVII

La antigüedad grecolatina no conoció la novela, sino de modo excepcional e imperfecto y en épocas de decadencia. Hay gérmenes de novela realista en el *Satyricón,* de Petronio; relatos satíricos y fantásticos en Luciano de Samosata, y *El asno de oro,* de Apuleyo; idilio pastoril extenso en *Dafnis y Cloe,* de Longo, y narraciones de viajes, naufragios, pérdidas y reconocimientos o *anagnórisis* como *Teágenes y Cariclea,* de Heliodoro, pertenecientes ya a la época bizantina. Todas estas producciones sólo influyeron de modo muy secundario en la posterior novela europea.

Más directa huella dejaron en la literatura medieval elementos novelescos venidos de las culturas orientales. Aparte de los cuentos breves, tuvo gran boga la novela filosófico-religiosa, casi siempre con finalidad apologética, al servicio de las disputas entre cristianos, judíos y musulmanes.

Novela autóctona de Occidente fue la caballeresca, nacida, como ya se ha dicho, de la poesía épica. La epopeya medieval de los pueblos germanos y románicos no era en un principio novelesca: su contenido pertenecía al acervo de los recuerdos colectivos, a los que se concedía crédito de historia, y las proezas cantadas eran de interés común. Cosa distinta ocurría con los poemas del ciclo bretón: la raíz histórica, desconocida o extranjera, caía fuera del interés colectivo, sustituido por el que emanaba del héroe mismo y de sorprendentes hechos particulares. La epopeya carolingia se contagia de los mismos caracteres en sus manifestaciones tardías. Los relatos poéticos originaron narraciones en prosa, y así surgieron los primeros *libros de caballerías* (*caballería*, hazaña, acción digna de un caballero). En la Península, con una hipotética versión original portuguesa y con el primer texto conocido en castellano, nació el *Amadís de Gaula*, obra maestra del género; existía ya en el siglo XIV, pero impreso en los comienzos del siglo XVI suscitó entonces infinitas imitaciones. Los libros de caballerías contaban la vida de fantásticos héroes, sus mocedades, amores, luchas y triunfos sobre monstruos y gigantes; hadas y encantadores movían los hilos de la trama, balcón abierto por donde las imaginaciones ingenuas escapaban para alimentar sueños de amor y heroísmo. A fines del siglo XVI estos productos de la imaginación desbordada se hallaban ya en decadencia.

Al comenzar el Renacimiento, la atención por lo individual fomentó el desarrollo de la *novela sentimental*, con un primer análisis de afectos y pasiones. El punto de arranque fue la *Fiammetta*, de Boccaccio (1313-1375), historia de amor desgraciado que termina con el suicidio de la protagonista. En el siglo XV español lo sentimental aparece frecuentemente asociado con elementos alegóricos y caballerescos, como en la *Cárcel de Amor*, de Diego de San Pedro.

El mundo idealizado de la égloga, que tanta suges-
tión ejercía sobre los espíritus del Renacimiento, fue
tratado por la *novela pastoril*, que tiene como tema casi
exclusivo el amor: zagales y pastorcitas descubren lacri-
mosamente sus lacerados corazones; van entrelazán-
dose historias, y al final hay siempre una maga benéfica
para dar a todos la felicidad. Por lo general son *obras* de
clave, que con nombres pastoriles aluden a episodios
realmente sucedidos.

La novela *bizantina* no había sido totalmente ol-
vidada en la Edad Media: de ella procede la leyenda
de Apolonio de Tiro, que inspiró uno de los poemas
del mester de clerecía que hoy se leen con mayor gusto.
Pero en la segunda mitad del siglo XVI y principios del
XVII el ejemplo de Heliodoro fue imitado muchas veces
directamente; destaca entre las imitaciones el *Persiles* y
Sigismunda, de Cervantes. Al espíritu de la Contrarreforma eran gratas estas narraciones de castos amores
largamente probados por el infortunio y satisfechos
sólo como coronación de innumerables vicisitudes.

Hasta fines del siglo XVI predominaba en la novela,
como se ve, la dirección idealista. Hay, sin embargo,
excepciones: aparte de la *Celestina*, intermedia entre
la novela y el drama, se imprime en 1554 un librito
de apariencia intrascendente que llevaba en sí los gérmenes de la novela moderna. Es el *Lazarillo de Tormes*,
cuyo desconocido autor finge que un pilluelo, servidor
de distintos amos, cuenta lo que le ha ocurrido con ellos;
y así desfilan el mendigo ciego lleno de astucia, el clé-
rigo avaro, el hidalgüelo tan digno como hambriento,
el fraile andariego, el falsario vendedor de bulas...; la
sociedad contemporánea pintada con trazos sobrios e
intencionados, levemente caricaturescos. Era la primera
vez que el realismo entraba desembozadamente en
la novela. Pero hasta cincuenta años después el *Lazarillo* no tuvo imitaciones que recogieran su genial innova-
ción, y cuando surgen, es con espíritu muy distinto:

El Pícaro Guzmán de Alfarache, de Mateo Alemán (1599);
El Buscón, de Quevedo, y el *Escudero Marcos de Obregón*,
de Vicente Espinel, son las tres grandes novelas *pica-
rescas* de este segundo momento. Se llama así el género
por contar —de ordinario en forma autobiográfica—
las andanzas de un *pícaro*, mozo sin oficio ni escrúpulos
que sirve a varios amos, hurta o estafa de cuando en
cuando, dilapida el dinero obtenido, se codea con otros
hampones, e insensible a las inquietudes del deber y la
honra, pasea, riendo cínicamente, su existencia miserable, ciego para cuanto hay de noble y bello en el mundo.

Rasgo común a casi todas las novelas extensas —llamadas historias— anteriores al siglo XVIII es la falta de
acción coherente: la narración se limita a enhebrar
unas tras otras las hazañas del caballero, las confidencias
de los pastores, las peripecias de los enamorados náu-
fragos o las jugarretas del pícaro. El momento del desenlace no está exigido por la acción. Solamente la novela
corta, única a la que se daba el nombre de *novela*, y la
sentimental, como la *Cárcel de amor*, solían poseer una
acción concreta, gradual y conclusa.

El *Quijote*, de Cervantes (impresa la primera parte
en 1605, la segunda en 1615), remata el ciclo de la antigua novela de aventuras e inaugura definitivamente
el de la novela realista moderna. Subsiste el mundo
ideal, pero sólo en la imaginación obsesa de un insen-
sato que vive en un lugar de la Mancha y tiene por amigos
a un cura, un barbero y un bachiller como los que po-
drían encontrarse en cualquier villorrio. El choque entre
lo imaginado por Don Quijote —Dulcinea, castillos,
gigantes, princesas, ejércitos— y la vulgar realidad
—la rústica Aldonza Lorenzo, ventas, molinos, Mari-
tornes, rebaños— sitúa al caballero en el plano de lo
ridículo. Pero su empresa de implantar en el mundo
el reino de la justicia es la más noble que puede concebir
mente humana, y la ironía de Cervantes al pintarla
fracasada, esconde la amargura del desengaño. En

apariencia, la acción es deshilvanado suceder de aventuras; pero en la maravillosa segunda parte una serie de notas finas, lanzadas como al desgaire, van preparando la derrota de Don Quijote y la resignada pérdida de su locura. Sin ella, que es su razón de vivir, sólo queda la muerte para el buen Alonso Quijano.

La novela desde el siglo XVIII

La novela típica del siglo XVIII es la sentimental, cuyo florecimiento se inicia en Inglaterra. La *Pamela*, de Richardson, o *El vicario de Wakefield*, de Goldsmith, son obras bien construidas, que buscan sus asuntos en la sociedad burguesa. Sobreexcitada la sensibilidad y acentuado el patetismo, *La nueva Eloísa*, de Rousseau, y *Pablo y Virginia*, de Saint Pierre, preparan el camino a los románticos. El *Werther*, de Goethe (1776), condensó la hiperestesia, melancolía y desaliento que había en el ambiente y fue la primera de una serie de novelas cuyos protagonistas escudriñan sus sentimientos con detención morbosa y expresan desesperadamente su amarga visión de la vida: el *René*, de Chateaubriand; el *Adolfo*, de Benjamín Constant; el *Obermann*, de Sénancour, y las *Cartas de Jacobo Ortis*, de Hugo Fóscolo, son las más características.

Otra moda romántica fue la novela histórica. Aunque había algún precedente español de este género en el siglo XVI (las *Guerras civiles de Granada*, de Ginés Pérez de Hita), el maestro de los románticos fue el escocés sir Walter Scott (1771-1832), uno de los más grandes dignificadores de la Edad Media, pintada con singular encanto en sus obras *Ivanhoe o el Cruzado*, *Rob Roy*, *Quintín Durvard*. Seguidores de Scott son, en Francia, Víctor Hugo *(Nuestra Señora de París)*, Vigny *(Cinq mars)* y Dumas *(Los tres mosqueteros)*; en Italia, Manzoni *(Los novios)*, y en España, Larra *(El doncel de don Enrique el*

Doliente), Enrique Gil *(El señor de Bembibre)* y otros. Avanzado el siglo xix, cunden las novelas que con apoyo de la arqueología tratan de reproducir con fidelidad ambientes del mundo antiguo: *Los últimos días de Pompeya*, de Bulwer Lytton; *Fabiola*, del Cardenal Wiseman; *Salammbô*, de Flaubert; *Quo vadis?*, de Sienkiewicz, etc.

Hacia 1830 empieza a dejarse advertir una creciente inclinación al realismo. Todo el resto del siglo xix es la gran época de la novela, cultivada con extraordinaria intensidad y ávidamente leída. La narración se hace cada vez más lenta, mientras la observación gana en minuciosidad y exactitud. El análisis del alma humana alcanza insospechada profundidad. Los primeros representantes de la tendencia son, en Francia, Stendhal *(Rojo y Negro)* y Balzac *(Eugenia Grandet, Père Goriot,* y muchas otras constitutivas de la *Comedia humana)*; en Inglaterra, Dickens *(Oliverio Twist, David Copperfield)*. Más adelante, Flaubert (1821-1880) se esfuerza en *Madame Bovary* por llegar a la máxima objetividad en la presentación de caracteres; y Zola (1840-1902) lleva a su extremo la orientación naturalista.

La aportación rusa a la novela realista es de muy subido valor: Gógol (1809-1852), Turguenef (1818-1883) y sobre todo Dostoyevski (1821-1881) y Tolstoy (1828-1910) no tienen rival en la pintura de ambientes sombríos, en el teatro de atormentadas figuras de exaltados y enfermos espirituales, y en el planteamiento de terribles problemas éticos, sociales e ideológicos.

En España la novela realista es menos honda, y también menos inquietante: al lado de doctrinarias obras de tesis o crudezas naturalistas, está la sonrisa bonachona o la comprensión indulgente. Inicia tímidamente la nueva orientación «Fernán Caballero» (seudónimo de Cecilia Böhl de Faber, 1796-1877) con *La Gaviota* y *La familia de Alvareda*. La prosiguen Pedro Antonio de Alarcón (1833-1905; *El escándalo, La Pródiga)*, Valera (1824-1905; *Pepita Jiménez, Juanita la Larga)* y Pereda (1833-1905; *Sotileza, Peñas arriba*); y culmina con Pérez Galdós (1843-1920) y «Clarín» (Leopoldo Alas, 1852-1901; *La Regenta*). La figura de Galdós sobresale no sólo por su gigantesca producción, sino por su honda penetración psicológica y su cálida humanidad, cualidades manifiestas en *Marianela, Fortunata y Jacinta, Miau* o *Misericordia*; cultivó también la novela histórica en los *Episodios Nacionales*. De la misma generación o posteriores son doña Emilia Pardo Bazán (1852-1921; *Los pazos de Ulloa*); Palacio Valdés (1853-1938; *La Hermana San Sulpicio, Marta y María*); Blasco Ibáñez (1867-1928; *La barraca*), y Concha Espina (1877-1955; *La esfinge maragata, La niña de Luzmela*). Los escritores de la generación de 1898 y posteriores son menos uniformes en sus novelas, de carácter más acusadamente personal.

El cuento y otras formas novelísticas menores

El cuento es un relato breve de asunto ficticio. Pueden distinguirse tres tipos fundamentales de cuento: el fantástico, simple juego de imaginación, auxiliada muchas veces por leyendas y consejas; el anecdótico, que gira en torno a un hecho o dicho significativo o ingenioso, y el doctrinal o didáctico, con moraleja deducida de la historieta. Este último constituye una variedad de fábula o apólogo. Muy aficionada al cuento, sobre todo al didáctico, fue la literatura india. La árabe posee una de las más bellas colecciones de cuentos fantásticos, las *Mil y una noches*. En la Francia medieval abundan relatos llenos de gracia y viveza, muchas veces satíricos, conocidos con el nombre de *fabliaux*. España tiene entonces dos grandes narradores, don Juan Manuel y el Arcipreste de Hita, y en Inglaterra brillan los *Cuentos de Canterbury*, de Chaucer (1340-1400). En Italia el género tuvo notabilísimo florecimiento entre los siglos xiv y XVI: celebérrimo es el *Decamerón*, de Boccaccio, colección tan licenciosa como artísticamente lograda. En época posterior sobresale el francés Perrault, y modernamente Daudet, los alemanes Grimm y Hoffmann, el danés Andersen, el inglés Wilde, los norteamericanos Poe e Irving —autor de los deliciosos *Cuentos de la Alhambra*—, el italiano Amicis y los rusos Chéjov y Korolenko; entre los españoles, «Fernán Caballero», Trueba, Alarcón, «Clarín», Pardo Bazán, etc.

La *novela corta* encierra en su brevedad los elementos esenciales de una novela extensa. En su origen es un cuento desarrollado en dimensiones y complejidad. Muchas historias del *Decamerón* son novelas cortas. En España destacaron las admirables *Novelas ejemplares*, de Cervantes; en el siglo XVII abundan las que refieren lances generalmente amorosos, propios del ambiente cortesano; entre sus autores figuran Salas Barbadillo y doña María de Zayas. En los últimos siglos casi todos los grandes novelistas han cultivado, en ocasiones como boceto de obras mayores, la novela corta.

Por último, suele haber acción ficticia en la literatura de costumbres, para dar animación a la pintura de usos y ambientes. En el siglo XVII son escritores costumbristas Liñán y Verdugo y Juan de Zabaleta; en el XIX, Mesonero Romanos, Estébanez Calderón, Antonio Flores y Pereda, entre otros. Larra (1809-1837) desborda los límites del género por la profundidad y acritud de sus artículos.

XXI

La didáctica y la crítica

El arte en la exposición didáctica

En la didáctica (del griego *didaskein*, «enseñar») se incluyen las obras que se valen de la palabra para exponer conocimientos o doctrinas. En sentido estricto la idea de didáctica lleva consigo la de finalidad docente; pero también suele abarcar en las clasificaciones literarias las obras científicas sin propósito de enseñanza, la pura formulación escrita del saber.

El interés estético es secundario en la didáctica. La ciencia no busca la belleza, sino la verdad; la facultad predominante no es la fantasía, sino la inteligencia. La exposición científica ha de preocuparse ante todo de la exactitud, la claridad y el orden, que deben sobreponerse al cuidado de la expresión bella. El margen concedido al arte dependerá de la materia tratada y del fin perseguido. Hay disciplinas como las matemáticas o las ciencias físico-naturales, donde las galas de la frase serían no sólo impropias, sino perniciosas; en cambio, siempre frenadas por la sobriedad, no desdicen en materias menos sistematizadas, como la historia. Por otra parte, una obra de investigación destinada a un público de especialistas, habrá de tener forma severa, densidad conceptual y precisión técnica; el manual para la enseñanza será severo también y claro; la obra de divulgación dirigida al gran público necesitará adoptar un tono amable y preocuparse más de halagar con la belleza.

La exposición científica

Antiguamente, cuando el campo del saber era más limitado, fue posible que los sabios lo abarcaran en su conjunto: Aristóteles, Leonardo de Vinci o Nebrija trataron las más diversas materias, mostrando en todas su iniciativa. Pero desde que la ciencia moderna ha extendido el terreno investigable y han crecido los conocimientos previos necesarios, la conquista de nuevas verdades sólo ha podido conseguirse mediante la especialización; se procede paso a paso: unos aportan datos recogidos en el laboratorio, la expedición científica o el archivo; otros, apoyándose en estos datos, construyen teorías que no suelen ser aceptadas por todos sin discutirlas antes. La investigación científica y su crítica, esto es, los juicios favorables o contrarios acerca de cada doctrina, tienen como forma propia de exposición la de *monografías* y *artículos* de tema restringido y extensión variable. Órgano de la comunicación científica son las revistas periódicas (anuarios, boletines, memorias, etcétera) de cada especialidad. Los trabajos compuestos, aunque sólo sea teóricamente, para la lectura en público, se denominan *disertaciones*.

Cuando los conocimientos relativos a una materia amplia se reúnen en una obra, recibe ésta el nombre de *tratado*, que será *magistral* si la exposición es extensa y detallada; *elemental* si se reduce a lo más importante. Los tratados elementales se llaman también *epítomes*, *manuales*, *compendios*, *resúmenes*, *síntesis*, etc.

El diálogo doctrinal y el ensayo

En la antigüedad grecolatina, cuando la ciencia no había recibido aún su moderna articulación sistemática, fue muy empleado el diálogo doctrinal: simulando una conversación entre varios personajes, uno de ellos exponía una tesis y respondía a las objeciones de los demás. Platón explanó las teorías filosóficas de su maestro Sócrates y las suyas propias en inmortales diálogos que han sido modelo del género. Célebres fueron también los de Cicerón. El Renacimiento se apoderó de esta forma expositiva, que si no poseía el rigor del tratado o la disertación, presentaba animadamente el haz y el envés de las cuestiones y permitía la intervención desembozada del factor artístico. En España destacan el *Diálogo de la lengua*, de Juan de Valdés (h. 1490-1541); el *Diálogo de la dignidad del hombre*, de Fernán Pérez de Oliva († 1531), y el hermosísimo *De los nombres de Cristo*, de Fray Luis de León.

El puesto del diálogo doctrinal ha sido ocupado modernamente por el *ensayo*, que apunta teorías, presenta los temas bajo aspectos nuevos o establece sugestivas relaciones sin ceñirse a la justeza ordenada necesaria en una exposición conclusa. No pretende serlo: la misión suya es plantear cuestiones y señalar caminos más que asentar soluciones firmes; por eso toma aspecto de amena divagación literaria. El nombre de *ensayo* proviene de los de Miguel de Montaigne (1533-1592) iniciador de este linaje de obras. Gran ensayista español fue en el siglo XVIII el padre Feijoo (1676-1764). En la actualidad es uno de los géneros más cultivados y de mayor influencia social: las doctrinas políticas o ideológicas, las interpretaciones de la historia y la cultura, las reacciones ante los problemas nacionales, han tenido desde hace más de medio siglo su expresión en ensayos que han dejado honda huella en la mentalidad española. Los más ilustres autores son Ganivet (1862-1898), Unamuno (1865-1936), Ramiro de Maeztu (1875-1936), «Azorín» (1873-1967), Ortega y Gasset (1883-1955) y Eugenio d'Ors (1882-1954). En Hispanoamérica destaca el uruguayo José Enrique Rodó (1871-1917).

La literatura religiosa: ascética y mística

Amplísimo es el campo de la literatura doctrinal religiosa, que comprende desde la teología, formulada con riguroso conceptualismo, hasta las sencillas obras de catequesis. De especial interés artístico son dos manifestaciones que alcanzaron fulgurante esplendor en nuestro Siglo de Oro: la literatura ascética y la mística.

Aunque distintas, ambas están íntimamente ligadas: una es el escalón necesario para llegar a la otra. La ascética busca la purificación de los apetitos y el desasimiento respecto a los bienes mundanos. Los escritores místicos tratan del proceso del alma que despojada de todo apego a lo terrenal y concreto, se encierra en sí para lanzarse en busca de Dios, alentada por el amor y sin más guía que la fe. Refieren, como experiencia vivida o en forma doctrinal, el lento ascender del espíritu desnudo hasta fundirse en íntima unión con el Amado. La meta última, que San Juan de la Cruz define como «un subido sentir de la divinal esencia», excede a todo conocimiento normal y es, en sí misma, inefable. La mística, pues, tiene que dar a entender por medio del lenguaje humano, hecho para las necesidades del existir habitual, vivencias superiores a la capacidad de las palabras. De este gravísimo problema arranca su cimero valor poético: en la pugna por expresar lo inexpresable, los místicos se valen de símbolos, alegorías, metáforas y comparaciones, aplican al amor de Dios el lenguaje más ardiente del amor humano, y acuden a sublimes contrasentidos: «entender no entendiendo», «cauterio suave», «regalada llaga», «rayo de tiniebla», «glorioso desatino», «divinal locura». Las palabras amplían sus dimensiones conceptuales para traslucir la infinitud vivida.

La literatura mística puede ser inflamado brote lírico nacido en la inmediatez del estado sobrenatural —*Exclamaciones*, de Santa Teresa; poesías de San Juan de la Cruz— o tratados que se apoyan en experiencias propias o ajenas. En este caso, igual que en las obras ascéticas, es evidente la finalidad doctrinal de aleccionamiento y guía de almas.

En la imposibilidad de mencionar los innumerables autores de obras ascéticas importantes y aun los principales escritores místicos, nos limitaremos a los más sobresalientes entre los españoles, añadiendo a los nombres de Santa Teresa (1515-1582) y San Juan de la Cruz (1542-1591), los del Beato Juan de Ávila (1500-1569), Fray Luis de Granada (1504-1588), Fray Luis de León (1527-1591), Malón de Chaide († 1589), y Fray Juan de los Ángeles (1536?-1609). Antes, en la Edad Media, brilló el mallorquín Raimundo Lulio (1235-1315).

La crítica

La palabra *crítica* (del griego *krinein*, «juzgar, opinar») equivale a «juicio o valoración». Criticar es poner en juego las facultades estimativas y determinar el grado en que un acto o una creación poseen un valor cualquiera. La crítica no se limita al aspecto negativo de señalar defectos, sino que comprende también los juicios laudatorios. Todas las muestras de actividades humanas susceptibles de valoración pueden ser sometidas a crítica: hay crítica filosófica, científica, estética o artística, de espectáculos, social o de costumbres, militar, etc.

La crítica estética o artística dictamina sobre los valores propios de las obras de arte. Generalmente se designa con el nombre de *crítica artística* o *de arte* la que se ocupa de creaciones plásticas, a diferencia de la crítica literaria o la musical. Las tres ejercitan el juicio estético, fundado esencialmente en el gusto, y las tres se enfrentan con análogos problemas. La crítica estética es de extraordinaria importancia en la vida cultural: el crítico prestigioso, con sus artículos, ensayos u obras extensas, orienta el juicio ante la obra de arte; es un mediador entre el artista y el público. De ahí su gran responsabilidad: una repulsa injusta por parte de voces autorizadas puede acarrear la desaprobación general; el aplauso de los críticos facilita el de los demás. Por eso el crítico necesitará unir a la rectitud moral una sensibilidad poderosa, ayudada por amplia formación cultural.

Según el punto de vista adoptado, la crítica puede ser *dogmática, impresionista* o *histórica*. La dogmática o *absoluta* parte de un determinado concepto, que el crítico estima ser el único legítimo, de la belleza y del arte; da por buenas las obras que obedecen a tal concepto y rechaza las que lo contradicen. Es el tipo de crítica que ha dominado durante siglos: dogmática fue, por ejemplo, la oposición de los preceptistas aristotélicos contra el teatro de Lope de Vega.

La crítica impresionista registra el efecto que la obra de arte produce en el crítico. No debe éste entregarse irreflexivamente a sus reacciones más espontáneas, ni tampoco anularlas, pues revelan a su manera el poder estético de la obra, sino superarlas mediante un análisis detenido y profundo.

La crítica histórica sitúa la obra de arte en el ambiente de su época y se esfuerza por fijar lo que la obra significó en el momento de ser creada: hasta qué punto está de acuerdo con el espíritu de su tiempo y país, cuáles fueron sus precedentes y en qué consistió su originalidad; finalmente se pregunta cuáles han sido los propósitos del autor, y reconstruyendo el proceso de la creación, determina los aciertos y los fallos. El criterio histórico no debe prescindir totalmente del impresionismo: interesante es conocer lo que pudieron sentir los griegos de la época heroica ante la *Ilíada*, pero no lo es menos precisar qué excelencias reconocemos hoy en la poesía homérica.

La crítica literaria, casi limitada a la oratoria, aparece en la antigüedad con Cicerón y Quintiliano. En nuestra literatura hay ya atisbos en el Marqués de Santillana y Juan de Valdés, pero el desarrollo corresponde a las controversias de los siglos XVII y XVIII; después sobresalen Larra, Agustín Durán, «Clarín» y Menéndez y Pelayo. Críticos extranjeros célebres son Lessing, Herder y los hermanos Schlegel, entre los alemanes; Sainte Beuve y Brunetière, entre los franceses; los italianos De Sanctis y Benedetto Croce, etc.

XXII

La historia. El periodismo

La historia como ciencia y como arte

Historia es la ciencia de los hechos realizados por la Humanidad. Labor suya es registrar los acontecimientos pasados y descubrir su encadenamiento causal. No sólo se ocupa de las empresas militares y políticas, sino que profundiza en el conocimiento de la cultura y vivir diario de las épocas pretéritas. El campo de la historia es, pues, tan amplio como el de la actividad humana.

El hecho histórico es singular simepre, sin parangón exacto con otros. Por esto es más susceptible de interpretaciones personales que los procesos de la Naturaleza o los teoremas de la matemática; la tarea del historiador consiste esencialmente en interpretar datos y sucesos para hallarles un sentido cuya exactitud no puede comprobarse en muchas ocasiones. Su labor no podrá ser nunca tan objetiva como la del matemático o el naturalista. El pecado más grave en que el historiador puede incurrir consiste en falsificar, omitir o tergiversar deliberadamente los hechos a impulsos del partidismo; pero aun procediendo con honradez, es raro que en la interpretación histórica no influyan subrepticiamente los sentimientos personales del autor, a veces a pesar suyo.

Estas peculiaridades de la historia, si constituyen obstáculos en el orden científico, aumentan la participación del arte. El historiador no puede trazar a su arbitrio personajes y hechos, como hacen el dramaturgo y el novelista; pero en su tarea hay no poco de creación: tiene que infundir vida al pasado, haciendo que del conjunto inerte de noticias surjan, palpitantes e inconfundibles, figuras y ambientes. La pasión, tan dañina para la imparcialidad, ha inspirado muchas de las más bellas páginas de la historia. Hay en la historia ciencia y arte. La parte científica consiste en puntualizar los hechos y sus causas. La artística comprende la presentación de sucesos, personajes y sociedades con vida y relieve, en lenguaje atractivo.

La investigación histórica descansa en el acopio y crítica de datos, tarea propia de la *erudición*. No hay que despreciar la labor del erudito, sin la cual la historia carecería de base firme. Las fuentes de información aprovechables son los testimonios de historiadores y los documentos de la época, así como las reliquias culturales y materiales que subsistan de ella. El estudio de cada uno de estos aspectos constituye una ciencia auxiliar de la historia: la *filología* estudia las manifestaciones lingüísticas —idiomas y literaturas—; la *crítica textual* dictamina sobre la autenticidad de los textos transmitidos; la *paleografía* se ocupa de las antiguas formas de escritura; la *diplomática*, de la redacción de los documentos; la *arqueología*, del arte y objetos materiales; la *epigrafía*, de las inscripciones; la *numismática*, de las monedas, y la *sigilografía*, de los sellos. Sobre los datos aportados por la erudición y las ciencias auxiliares, el historiador reconstruye los hechos, valora su respectiva importancia y establece entre ellos relaciones de causa a efecto o de antecedente a consiguiente. La elaboración artística de la exposición apenas cabe en los trabajos eruditos, pero es condición deseable en la historia propiamente dicha; ha habido épocas en que se le ha dado más importancia que al aspecto científico.

La *filosofía de la historia* abarca en su conjunto la materia histórica, jalona las grandes épocas señalables en el curso de las civilizaciones, precisa las características espirituales de cada una, y trata de encontrar un sentido al proceso seguido por la Humanidad. El triunfo del cristianismo y el hundimiento del Imperio romano motivaron la primera obra de este alcance, la *Ciudad de Dios*, de San Agustín (354-439), que ve en la historia humana el desarrollo de un plan marcado por la Providencia. Doctrina semejante es la del *Discurso acerca de la historia universal*, del francés Bossuet (1627-1704). Entre las tentativas posteriores, de distinta orientación ideológica, sobresalen la *Ciencia Nueva*, del italiano Juan Bautista Vico (1668-1743), y la *Filosofía de la Historia universal*, del alemán Hegel (1770-1831).

Cicerón llamó a· la historia «maestra de la vida», concepto repetido después hasta convertirlo en lugar común. Ciertamente el saber histórico amplía y enriquece el conocimiento acerca de los hombres y puede servir de complemento a la experiencia personal. La idea de tal magisterio hizo que surgiera la llamada *historia pragmática*, que en cada hecho veía una lección de la cual deducía consecuencias morales o políticas. Esta interpretación ejemplar, muy practicada en el Renacimiento, decayó después.

La historia clásica y la moderna

La historia no apareció constituida hasta el siglo v antes de Jesucristo, cuando el espíritu griego estaba a punto de alcanzar la madurez. Fue entonces cuando Heródoto de Halicarnaso, queriendo relatar verazmente las guerras médicas y su origen, recorrió los territorios del imperio persa en busca de noticias y reunió el fruto de sus indagaciones en la primera narración propiamente histórica. En la centuria siguiente, Tucídides y Jenofonte tratan hechos recientes, inaccesibles a lo fabuloso, de los que ellos mismos han sido testigos o actores. En Roma la historia se utiliza para la apología personal del autor, como en los *Comentarios*, de Julio César; se presenta llena de pasión política en Salustio y Tácito, y es índice de las glorias patrias en las *Décadas*, de Tito Livio. Domina en todos estos escritores la historia *narrativa*, reducida a la presentación artística de los hechos. Para indicar las opiniones sustentadas por los personajes se ponen en su boca bellas piezas oratorias inventadas por el historiador. La investigación no suele ser escrupulosa. Sólo Tucídides y en mayor grado Polibio practican la historia *genética*, remontándose desde los hechos a las causas.

En la Edad Media la forma típica de la historia son las *crónicas*, relatos de sucesos dispuestos en orden de tiempo. En un principio son enumeraciones secas, parcas de noticias y torpes de exposición; después se hacen más animadas. Alfonso X el Sabio (1221-1284) y sus continuadores reunieron en la *Crónica General* las noticias de historiadores anteriores y las leyendas contadas por los juglares. Más moderno y profundo es Pero López de Ayala (1332-1407), extraordinario artífice de la narración dramática e intencionada.

El Renacimiento volvió los ojos a la historia grecolatina. Salustio, Tito Livio y Tácito fueron los modelos preferidos, ya en historias de sucesos particulares, como la *Guerra de Granada*, de don Diego Hurtado de Mendoza (1503-1575), o la *Sublevación de Cataluña*, de don Francisco Manuel de Melo (1608-1666), ya en historias nacionales, como la célebre del P. Juan de Mariana (1535-1624). Se concedió atención primordial a las bellezas de estilo y a las reflexiones morales. Hay, sin embargo, investigadores concienzudos, como Jerónimo de Zurita, autor de los *Anales de la Corona de Aragón*, sólidamente documentados. La mayor novedad de la época estuvo a cargo de los historiadores de Indias españoles, que, interesados por las razas, creencias, costumbres y modos de vida de los pueblos indígenas, dieron entrada en la historia a todas estas cuestiones, hasta entonces no tratadas por ella.

Aunque la erudición no había sido descuidada en el Renacimiento, su apogeo es posterior, como reacción frente a la historia humanística. En España, el siglo erudito por excelencia es el xviii, con la *España Sagrada*, de Flórez, como obra culminante. Desaparece la concepción de la historia predominantemente artística, mientras crece la importancia concedida a la investigación. Nuevos temas de interés son el comercio, las costumbres e instituciones, la economía. El siglo xix es la gran época de la historia científica, con figuras de la talla de Ranke y Mommsen. Entre los españoles sobresale Menéndez y Pelayo, con su *Historia de los Heterodoxos españoles*, y en la actualidad, Menéndez Pidal, nuestro mejor conocedor de la Edad Media y maestro de la filología hispánica, a quien se debe la admirable *España del Cid*.

Biografías, memorias, cartas

El interés histórico no alcanza sólo a los grandes hechos de trascendencia colectiva. Los actores de la historia nos atraen también como simples hombres, en el drama de su existencia privada. *Biografía* es el estudio histórico de la vida de un personaje. Es uno de los géneros históricos que mejor se prestan a la elaboración literaria, y ya en la antigüedad fue cultivado con el fin de presentar paradigmas de grandeza moral, como en el *De viris illustribus*, de Cornelio Nepote, o en las *Vidas paralelas*, de Plutarco. En nuestros días es extraordinario el gusto por las producciones biográficas, en las que se siente el interés novelesco aumentado por el histórico, más aún tratándose, como ocurre ordinariamente, de personajes relevantes en la política, las armas, la ciencia, el arte o las letras.

Se llama *autobiografía* el relato que un autor hace de su propia vida. Son célebres las de San Agustín *(Confesiones)*, Benvenuto Cellini, Santa Teresa y Rousseau. Las *memorias* no tienen carácter de autobiografía completa, sino que reúnen algunos recuerdos del autor respecto a sucesos y hombres conocidos. De especial interés psicológico por su intimidad son los *diarios* no destinados a la publicación, depósito de las inquietudes y emociones de quienes los escribieron como expansión de su vida interior.

Análogo es el interés humano, histórico y psicológico de los *epistolarios* o colecciones de cartas particulares. Sus autores se nos muestran a veces con la llaneza y relativa sinceridad del trato diario; asistimos a sus afanes e ilusiones y participamos en sus reacciones personales frente a los acontecimientos externos. De la antigüedad son famosas las cartas de Cicerón y las de Plinio el Joven. Francia cuenta con rica y sugestiva literatura epistolar, como corresponde al gusto francés, tan reiteradamente manifiesto, por el análisis psicológico. Sobresalen las cartas de Madame de Sévigné, en el siglo xvii. En España se distinguen las de Fray Antonio de Guevara (1481?-1545), el Beato Juan de Ávila (1500-1569), Santa Teresa (1515-1582), las de Felipe II a sus hijas, Quevedo (1580-1645), Leandro Fernández de Moratín (1760-1828), Valera (1828-1905), etc. Fuera de la correspondencia, la forma epistolar puede servir de procedimiento expositivo con fines muy varios: hay, como ya se ha dicho, novelas total o parcialmente compuestas así (la *Cárcel de Amor*, de Diego de San Pedro; el *Werther*, de Goethe; *Pepita Jiménez*, de Valera, entre otras muchas). Cartas dirigidas a personajes reales o supuestos han servido a la didáctica, a la polémica ideológica, o constituyen, como en las *Cartas persas*, de Montesquieu (1689-1755), y las *Cartas marruecas*, del español Cadalso (1741-1782), un mínimo armadijo de ficción novelesca para apoyar la crítica social.

En toda la literatura confidencial —autobiografías, memorias, diarios, cartas— la historia pierde no poco de su porte majestuoso. Las grandes figuras nos revelan sus flaquezas; los hechos que al cabo del tiempo juzgamos trascendentales, tienen allí a veces eco menor del que esperamos. Pero esto mismo nos ayuda a conocer mejor hombres y épocas y la verdadera grandeza histórica no disminuye al acercársenos caldeada con hálito de humanidad.

El periodismo

Aunque la idea de *periódico* abarca cuantas publicaciones aparecen con lapsos de tiempo regulares, la aplicación general de la palabra es con el sentido de «diario», designándose con el nombre de *revista* las publicaciones semanales *(semanarios)*, quincenales, mensuales, trimestrales, etc. Las revistas pueden ser de carácter general o, ciñéndose a una actividad determinada, religiosas, literarias, artísticas, políticas, financieras, deportivas, etcétera, aparte de las científicas, a las cuales nos hemos referido ya. Las revistas literarias son de particular interés porque ellas, así como en las correspondientes secciones de los diarios, se refleja la intensidad de la vida intelectual y la trayectoria de las corrientes estéticas.

El periodismo propiamente dicho, el de los diarios, tiene como fin esencial informar a los lectores respecto a los acontecimientos de actualidad. Las notas en que escueta y brevemente se da cuenta de sucesos reciben los nombres de *comunicados, sueltos* y *gacetillas;* las *crónicas* son más amplias y detalladas, con comentarios sobre lo noticiado. Los *artículos de fondo* y *editoriales*, colocados por lo general en lugar preferente, se ocupan de temas de actualidad, sustentando puntos de vista que responden a la orientación ideológica y político-social del diario; son obra de redactores especializados, que necesitan poseer gran conocimiento de las materias que se les reservan, cultura extensa y agilidad de pluma, a fin de unir la solidez de contenido con la forma clara y sugestiva.

El periodismo es importantísimo vehículo de cultura. En sus revistas o secciones destinadas a la crítica de espectáculos, arte y libros se examina y juzga la producción contemporánea en estos órdenes; sus páginas literarias, artículos de colaboración y folletones acogen, en el hervor de las controversias, nuevas doctrinas, inusitados planteamientos de cuestiones, o sesudas actitudes refractarias a la novedad. Si tienen amplia cabida la brillantez deleznable y la impresión efímera, los grandes periodistas, sobreponiéndose al asedio de las circunstancias, saben encontrar acentos de validez duradera. Así hicieron en el siglo pasado Larra, Balmes y «Clarín»; en el presente, nuestros mejores ensayistas han dado a conocer las primicias de muchas de sus obras en las columnas de los periódicos.

La influencia social del periódico es extraordinaria. Su difusión, infinitamente mayor que la de otras publicaciones, alcanza a todas las esferas sociales, por lo que es arma propagandística de excepcional eficacia.

XXIII

La oratoria

La oratoria y el orador

Oratoria es el arte de convencer o conmover por medio de la palabra hablada. La obra oratoria puede proponerse la mera exposición de conocimientos o hechos, como sucede en la oratoria académica. Pero generalmente trata de persuadir al auditorio para que adopte una resolución o se decida a obrar de determinada manera. El fin práctico de la oratoria deja en segundo término al literario: lo importante en el discurso es que sea eficaz; la belleza es añadidura, tanto más conveniente cuanto más contribuye a mover el ánimo de los que escuchan.

La oratoria es instrumento de poder extraordinario: tiene papel importante en la vida cultural e interviene, a veces decisivamente, en la jurídica. Se valen de ella cuantos movimientos han intentado atraer masas de adeptos y lanzarlos a la acción. Su utilidad propagandística es a la vez excelencia y peligro: el orador puede electrizar a las muchedumbres, despertando en ellas ennoblecedoras ansias de regeneración, o encauzar, serenándolo, el impulso popular; pero también puede ejercer su labor de captación halagando los instintos más bajos de la multitud y convirtiéndose en demagogo.

Mucho se ha escrito acerca de las cualidades idóneas para el orador. Le conviene poseer condiciones físicas que predispongan en favor suyo; pero sin ellas ha habido quienes han sabido adueñarse de su auditorio: Felipe II quedó admirado oyendo a Fray Luis de Granada, a pesar de que el predicador estaba ya viejo y desdentado. Quintiliano definió el orador como «vir bonus dicendi peritus»; pero aunque el prestigio moral aumenta la autoridad de quien se dirige a un público, no siempre se dan reunidas la habilidad oratoria y la rectitud de conducta. Tanto la figura como las condiciones morales caen fuera del arte oratorio, aunque puedan ayudarle.

En cambio, pertenece de lleno a él como su cualidad esencial la *elocuencia* o don de la palabra fácil, oportuna y persuasiva. No son equivalentes elocuencia y *verbosidad*, que se reducen a la abundante afluencia de palabras: hay discursos elocuentes dentro de la sobriedad. La elocuencia necesita apoyarse en activo sentido lógico que permita hallar rápidamente los argumentos necesarios, armazón del discurso; complemento de la lógica es una imaginación viva que tenga siempre dispuesta la expresión vigorosa, justa e impresionante; y es imprescindible una intuición profunda del alma de individuos y colectividades para encontrar en cada caso el tono conveniente, así como la argumentación y recursos pue pueden causar mayor efecto.

Los antiguos decían que mientras el poeta nace, el orador se hace («poeta nascitur, orator fit»), aludiendo a que las cualidades del primero son innatas y las del segundo adquiribles. La distinción no es exacta, pues aunque la educación desarrolle las facultades del orador y la costumbre de hablar en público le dé el aplomo y soltura para utilizarlas, el punto de partida es una aptitud natural. Mucho puede el esfuerzo inteligente: ejemplo instructivo proporciona Demóstenes ejercitándose en hablar con la boca llena de guijarros para corregir su articulación defectuosa y retirándose a la soledad hasta que consiguió dominar con el estudio la técnica oratoria. Pero abundan los que poniendo de su parte cuanto pueden, no logran vencer la timidez, alcanzar facilidad de palabra o dar a tiempo con el argumento oportuno.

La emisión de la palabra hablada comprende dos aspectos: la *declamación* y la *dicción*. La declamación imprime a las frases variaciones de entonación e intensidad que ponen de relieve su sentido y realzan la musicalidad del lenguaje. La dicción es la articulación de los sonidos que constituyen la parte física de la palabra. Compañero de la palabra es el ademán o *acción*, al que antes se concedía gran importancia.

El discurso

La obra oratoria recibe el nombre de *oración* o el más común de *discurso*. Su carácter y disposición están determinados por las circunstancias externas más que en ningún otro género literario; pero la lógica y las necesidades propias de la persuasión imponen ciertas condiciones generales en cuanto al plan. La retórica antigua distinguía como partes del discurso el *exordio*, la *proposición*, la *división* o *distribución*, la *confirmación*, la *refutación*, el *epílogo* y la *peroración*. El *exordio* es la introducción del discurso; el orador se presenta al público y solicita su atención. A veces, sin más introducción que unas exclamaciones o frases arrebatadas, el orador entra en materia bruscamente; entonces se dice que el discurso comienza *ex abrupto*. En la *proposición* el orador anuncia el tema de que va a tratar, y en la *división*, las partes o cuestiones principales que el tema contiene. En la *confirmación* se demuestra la teoría sustentada, alegando las pruebas necesarias, y en la *refutación* se invalidan los argumentos que se pudieran oponer. El *epílogo* es un resumen o conclusión; la *peroración* remata patéticamente el discurso para acentuar la emoción de los oyentes.

Retóricos y preceptistas han discutido largamente sobre cuáles de estas partes son necesarias en el discurso y cuáles pueden faltar. Es muy frecuente que las siete antes enumeradas aparezcan reducidas a cuatro: exordio, proposición, confirmación y epílogo; pero el exordio y el epílogo pueden omitirse.

Clases de oratoria

Teniendo en cuenta el orden de actividades a que el discurso se puede referir, se distinguen la oratoria *sagrada*, *política*, *forense* y *académica*. Ateniéndose al fin que el orador se propone, se diferencia la oratoria *deliberativa* o razonadora, cuyo objeto es convencer, de la *patética* o apasionada, que intenta conmover; en la oratoria *mixta* entran elementos deliberativos y patéticos. En realidad estas dos clasificaciones no se excluyen: la índole de cada actividad y su tradición privativa imponen al discurso hábitos especiales que legitiman la clasificación por materias; pero las circunstancias en que el orador se halle y el propósito que persiga determinarán que emplee el tono deliberativo o el patético; el abogado que interviene en un pleito donde se ventilan intereses económicos argumentará más fría y serenamente que el defensor de un acusado cuya vida trata de salvar.

La *oratoria sagrada* tiene por objeto dar a conocer las doctrinas religiosas, defenderlas, robustecer la fe de los creyentes y moverlos al cumplimiento de sus deberes para con Dios y los hombres. Sus piezas oratorias reciben el nombre genérico de *sermones*, y pueden ser *dogmáticos* si tratan de los principios fundamentales del credo religioso; morales si versan sobre temas éticos, y *panegíricos* cuando exaltan las virtudes de un santo o las excelencias de un misterio. Las *homilías* son comentarios a los textos sagrados; las *pláticas*, sermones de tono sencillo y fin moral; las *oraciones fúnebres*, destinadas a las exequias de grandes personajes, recuerdan a los fieles, con el ejemplo del reciente fallecimiento, la vanidad de las glorias mundanas.

La oratoria religiosa no parece haber sido cultivada en el mundo clásico antes de la predicación del cristianismo. En los últimos tiempos de las persecuciones y en los que siguieron al triunfo de la nueva fe hubo oradores insignes, como San Gregorio Nacianceno, San Basilio y San Juan Crisóstomo entre los padres griegos de la Iglesia, San Ambrosio y San Agustín entre los latinos. En nuestro siglo xvi destacan el beato Juan de Ávila y Fray Luis de Granada. El barroquismo se manifiesta en los brillantes y afectados sermones, picados de novedad, de Fray Hortensio Félix Paravicino (1580-1633). Una caterva de predicadores chabacanos recargaron con el peor gusto las tendencias de Paravicino, y el siglo xviii reaccionó contra el sermón barroco. La novela satírica del padre Isla, *Fray Gerundio de Campazas*, señala el momento culminante de esta oposición. El siglo xvii francés contó con predicadores de extraordinaria valía, siendo los principales Bossuet, Fénélon, Bourdaloue y Masillon.

La oratoria *política* se ocupa de cuestiones relativas a la gobernación del estado. Su florecimiento requiere la existencia de un régimen político en que haya posibilidad de discusión o sea necesario atraer a las multitudes. Por eso alcanzó pleno desarrollo en la democracia ateniense de los siglos v y iv, con Pericles, Isócrates, Esquines y Demóstenes, y en el período final de la república romana con los Gracos, César, Marco Antonio y Cicerón. En la baja Edad Media hay piezas oratorias, interesantes dentro de su rudeza, en los discursos de las cortes. Pero el verdadero resurgimiento no se produce hasta la Revolución francesa, con su secuela de agitaciones políticas y vida parlamentaria. Grandes tribunos españoles fueron, en las Cortes de Cádiz, Argüelles y Quintana; en los dos últimos tercios del siglo XIX, Donoso Cortés, Ríos Rosas, Aparisi y Guijarro y Castelar. Suele dividirse la oratoria política en *parlamentaria*, propia de la discusión en las cámaras o asambleas representativas; *popular* o de propaganda ante las masas, y *militar*, constituida por los breves discursos o *arengas* destinados a infundir ánimo a los combatientes.

Oratoria *forense* es la que se ejercita ante los tribunales encargados de aplicar la ley, bien en los litigios para reclamar un derecho, bien para acusar o defender al inculpado en una causa criminal. En la oratoria forense la elaboración artística está muy limitada por la necesidad de puntualizar detalladamente los hechos y dar a la expresión el rigor del tecnicismo jurídico. Pero aun así hay obras de gran belleza, sobresaliendo entre los oradores griegos de este género Lisias y Demóstenes, y entre los latinos, Cicerón.

La oratoria *académica* trata de asuntos científicos, literarios o artísticos. A diferencia de los restantes géneros oratorios, no intenta provocar en los oyentes una decisión activa. Su fin es casi siempre puramente doctrinal, como el de la didáctica. En realidad, las piezas de oratoria académica son obras didácticas habladas o leídas en público. Sus variedades principales son los *discursos académicos*, disertaciones pronunciadas en solemnidades de la vida cultural, y las *conferencias*, de menos aparato. En unos y otras domina el estilo severamente lógico, aunque los temas literarios, artísticos e históricos permitan, como en la didáctica escrita, mayor juego imaginativo.

La retórica clásica y el orador moderno

Los sofistas y rétores de la antigüedad estudiaron con nimia detención todos los aspectos particulares del discurso. Analizaron minuciosamente los distintos tipos de argumentación; catalogaron los *tópicos* o *lugares comunes*, esto es, los pensamientos, alusiones y símiles de más frecuente repetición en las diversas circunstancias; y desmenuzaron las formas expresivas con prolija distinción de figuras y elegancias. La formación retórica de los oradores, perpetuada hasta época reciente, no podía menos de conducir a la artificiosidad y la altisonancia. La oratoria política del siglo pasado fue un brillante desfile de frases lapidarias y largos períodos, con deslumbrantes recorridos a lo largo de la Historia. Los discursos se declamaban con amplias modulaciones tonales, grandes diferencias de intensidad en la voz y expresivo acompañamiento mímico. Hoy la disposición del discurso es más varia y fluida; se prefieren las frases no excesivamente largas; se consideran más elegantes la entonación próxima a la normal y la parquedad en los ademanes: el orador teatral y gesticulante pertenece estéticamente al pasado. Hasta en la oratoria sagrada, la más tradicional, se nota una progresiva tendencia a la moderación expresiva.